les passes au hockey

Couverture
- Photo
  FRANÇOIS DUMOUCHEL
- Maquette:
  MICHEL BÉRARD

Maquette intérieure
- Conception graphique:
  CLAIRE DUTIN

DISTRIBUTEURS EXCLUSIFS:

- Pour le Canada:
  AGENCE DE DISTRIBUTION POPULAIRE INC.*
  955, rue Amherst, Montréal H2L 3K4 (tél.: 514-523-1182)
  *Filiale de Sogides Ltée

- Pour la France et l'Afrique:
  INTER-FORUM
  13, rue de la Glacière, 75013 Paris (tél.: 570-1180)

- Pour la Belgique, la Suisse, le Portugal, les pays de l'Est:
  S.A. VANDER
  Avenue des Volontaires 321, 1150 Bruxelles (tél.: 02-762-0662)

claude chapleau
pierre frigon
gaston marcotte

les passes au hockey

LES ÉDITIONS DE L'HOMME*

CANADA: 955, rue Amherst, Montréal H2L 3K4

*Division de Sogides Ltée

796.962/8023
CHA

Bibliothèque nationale du Québec
Dépôt légal — 4e trimestre 1979

ISBN 2-7619-0053-7

Remerciements

Nous aimerions remercier Annette Villeneuve de l'aide techni-que qu'elle a apportée à la préparation du manuscrit ainsi que Donald Guay, professeur d'histoire au Département d'éducation physique de l'Université Laval, qui nous a fourni deux vieilles photos qui donnent un aperçu des premiers bâtons utilisés par nos prédé-cesseurs.

Nous sommes également redevables à messieurs Denis Brodeur, du *Métro-Matin*, Normand Montaigne, de l'Université de Mont-réal, Jean-Yves Dallaire et Jean-Michel Fouquet, de l'Université Laval, pour leurs excellentes photos.

Il faut également souligner l'apport de nos démonstrateurs, messieurs Richard Lamoureux, Normand Leblanc, Claude Rhéau-me, Richard Blanchet, et Pierre Trudel.

Nos remerciements vont également à Monsieur Rhéal Danjou des Éditions du Pélican qui nous a permis d'utiliser certaines photos du volume *La préparation physique du joueur de hockey*.

Introduction

Le hockey jouit toujours d'une grande vogue à travers le monde. Malheureusement, les adeptes nord-américains de ce sport ne semblent pas s'être rendu compte que la science s'est depuis longtemps mérité un droit de cité dans le monde du sport et plus spécialement dans le monde du hockey. Une telle attitude creuse un énorme fossé entre d'une part, les connaissances techniques, pédagogiques, physiologiques, tactiques et stratégiques déjà connues et, d'autre part, celles qu'utilisent les entraîneurs d'équipes professionnelles et amateurs, tout autant que celles enseignées au cours de stages de formation d'entraîneurs dans les diverses écoles de hockey.

Désireux de combler l'écart entre la théorie et la pratique, nous avons voulu, à l'aide de textes, d'illustrations, de photos et de schémas, expliquer aux entraîneurs et aux joueurs les critères qui régissent l'enseignement et l'apprentissage des passes au hockey.

Actuellement, il n'existe aucun livre traitant uniquement des passes au hockey sur glace. C'est pourquoi, dans cet ouvrage, nous avons tenté d'étudier en profondeur cet important aspect du jeu. Vous y trouverez des conseils sur le choix et le maniement du bâton, le transport de la rondelle et les dribbles. De plus, nous avons mis l'accent sur toutes les sortes de passes réalisables au cours d'un match de hockey en nous attardant au lieu, au moment et à la manière qu'il convient le mieux de les faire.

Nous sommes convaincus que notre ouvrage permettra aux entraîneurs d'enseigner plus efficacement et aux joueurs d'apprendre plus intelligemment à faire des passes: technique indispensable à la pratique réfléchie du hockey, sport d'équipe par excellence.

Court glossaire

Voici quelques définitions qui vous seront utiles tout au long de ce livre. Selon la position relative des mains sur le bâton, le joueur sera gaucher, droitier ou ambidextre.

JOUEUR GAUCHER: un joueur est dit "gaucher" quand sa main gauche se trouve plus bas sur le manche et quand la lame de son bâton se situe à sa gauche, en position de base.

JOUEUR DROITIER: un joueur est dit "droitier" quand sa main droite se trouve plus bas sur le manche et quand la lame de son bâton se situe à sa droite, en position de base.

JOUEUR AMBIDEXTRE: un joueur qui peut exécuter les mêmes manoeuvres des deux côtés en modifiant la position de ses mains sur le bâton selon les exigences du jeu est dit "ambidextre".

COUP DROIT: le coup droit se définit en fonction du côté dont un joueur tient normalement son bâton. Il concerne, par exemple, toutes les manoeuvres exécutées du côté gauche par un joueur gaucher. Le coup droit d'un droitier comprendra conséquemment toutes les manoeuvres effectuées du côté droit.

COUP DU REVERS: le coup du revers est une manoeuvre effectuée du côté opposé à celui où le joueur tient normalement son bâton. A droite, pour le gaucher; et à gauche pour le droitier.

CONVOYAGE: action qui consiste à diriger la lame du bâton dans la direction de la rondelle par suite d'une passe ou d'un tir.

BALAYAGE: action qui consiste à balayer la glace avec la lame de son bâton durant l'exécution de certains gestes techniques (passe balayée).

Les débuts du hockey

"Les Canadiens commencèrent à jouer du hockey organisé seulement vers 1880. Cette illustration montre l'équipement rudimentaire des premiers joueurs de hockey. Remarquez que c'est une balle qui tient lieu de rondelle."

Extrait de "Pictorial History of American Sports" p. 68.

Comment choisir son bâton

Le bâton est au joueur de hockey ce que le pinceau est au peintre et l'archet au violoniste.

C'est pourquoi le choix du bâton est de toute première importance. Après les patins, le bâton est la pièce d'équipement qui déterminera le plus le rendement du joueur. Notre expérience dans différentes écoles de hockey nous a clairement démontré que plus de 50% de tous les stagiaires ignorent les principes fondamentaux qui régissent le choix, la tenue et l'entretien du bâton. Nous savons que certains joueurs professionnels utilisent plus de 300 bâtons au cours d'une seule saison. Par conséquent, il est important de donner aux joueurs de hockey, certains conseils qui leur permettront d'obtenir le meilleur rendement possible de leur bâton. Le choix du bâton dépend de la taille, du style, de la position et de la force du joueur. Certains joueurs de grande taille, qui se penchent en jouant et qui préfèrent dribbler la rondelle loin devant eux, utiliseront nécessairement un bâton plus long, d'un angle plus incliné; tandis que ceux qui préfèrent contrôler la rondelle très près de leurs patins utiliseront un bâton très court, mais dont la pente se rapprochera de la verticale. Il en va de même pour les arrières qui choisissent de longs bâtons afin d'améliorer leur portée lors des mises en échec avec bâton. Le joueur puissant et lourd pourra choisir des bâtons qui sont plus pesants et plus rigides s'il désire en retirer le meilleur rendement possible. Comme tout bon artiste, le joueur de hockey doit apprendre à respecter ses outils, les choisir avec attention et les entretenir avec soin.

"À l'origine, le hockey était pratiqué sur la glace des rivières et des lacs du Québec. La forme du bâton laisse supposer l'influence d'un sport plus ancien, la crosse."

◁ Extrait de "Canadian Illustred News" (le 17 janvier 1880, p. 40).

La longueur du bâton

D'après l'article 51 des règlements de l'Association canadienne du hockey amateur, la longueur du bâton ne doit pas dépasser 175,5 cm (55 po), du talon de la palette au bout du manche. La hauteur de la lame ne doit jamais excéder 8 cm (3 po) ni être inférieure à 5 cm (2 po). La longueur du bâton est intimement liée à la taille et au style du joueur. Il est absurde de conseiller à un joueur de se procurer un bâton qui lui touche soit le nez, soit le menton. On n'a qu'à se rappeler que Gordie Howe, un très grand joueur, est pourtant celui qui utilise l'un des plus courts bâtons de toute son équipe. Pourtant, son contrôle de la rondelle, la précision de ses passes et la force de ses tirs en ont fait l'une des plus grandes vedettes de tous les temps.

Dans les écoles de hockey, nous avons remarqué que nous devions demander à environ 60% des joueurs de moins de 12 ans de couper leur bâton à la hauteur du menton ou plus bas, alors que moins de 5% des joueurs de 16, 17 et 18 ans commettent l'erreur du bâton trop long. Chez les professionnels, tous les joueurs ont des bâtons qui n'atteignent pas le menton. Nous croyons qu'un bâton ne doit jamais dépasser le menton. D'après notre expérience avec des milliers de jeunes, l'extrémité du bâton ne devrait jamais se trouver à plus 5 à 16 cm (2 à 6 po) du menton quand le joueur a chaussé ses patins. Tarasov suggère que le bâton ne dépasse pas les épaules.

Avant de choisir définitivement le genre de bâton qui répond le mieux à vos besoins, il est important que vous l'essayiez, si possible, sur la glace et dans des situations concrètes. Vous devez être à l'aise. Cette sensation dépendra non seulement de la longueur de votre bâton, mais également de son angle, de son poids et de sa rigidité dont nous reparlerons plus loin. Vous ne devez jamais vous sentir gêné par votre bâton quand vous êtes sur la glace.

Quand vous exécutez les divers mouvements de base (dribble, passe et tir), le dessous de la palette doit demeurer entièrement en contact avec la glace, sinon vous devrez conclure que votre bâton est soit trop court, soit trop long pour votre style ou votre taille; ou encore que la pente de votre bâton est trop ou pas assez prononcée.

La force joue également un rôle essentiel dans le choix d'un bâton: plus il sera long, plus il exigera de la force de la part d'un joueur qui voudra l'utiliser à bon escient. De plus, il faut employer un bâton qui favorise des passes de revers précises et rapides, ce qui est très difficile avec un long bâton si les poignets et les bras ne sont pas suffisamment forts.

Nous ne vous recommandons pas de couper un bâton d'adulte pour l'offrir à un jeune hockeyeur, puisque en raccourcissant le bâton, on en déplace le centre de gravité. Nous encourageons plutôt l'achat de bâtons fabriqués spécialement pour les jeunes. La qualité des bâtons s'améliore considérablement grâce à un effort des fabricants pour répondre plus précisément aux besoins des jeunes.

Le poids

En général, les bâtons pèsent de 500 à 750 g (16 à 24 oz). La force, le style, la taille et la position du joueur sont encore déterminants dans le choix des bâtons utilisés en fonction de leur poids. Les bons manieurs préfèrent souvent des bâtons légers, alors que certains arrières exigent des bâtons plus lourds.

Il est évident que le poids du bâton constitue un problème, surtout chez les jeunes qui n'ont pas encore atteint leur plein développement musculaire. Nous leur recommandons donc les plus légers bâtons sur le marché, afin que leur apprentissage soit facilité. Plus le jeune prendra de l'âge et de la force, plus il pourra s'accommoder d'un bâton plus lourd. Il est malheureux que les jeunes de moins de 10 ans soient encore obligés de jouer avec une rondelle d'adulte aucunement adaptée à leur force, ce qui occasionne une perte de temps dans l'apprentissage des techniques fondamentales de la passe et du tir.

Le manche

Les joueurs de hockey ont développé plusieurs façons d'enrouler du ruban sur le bout du manche de leur bâton. L'application de ruban gommé doit avant tout répondre aux exigences de chaque joueur, sans pour autant diminuer la force et l'ampleur des gestes exécutés avec le bâton. Le ruban gommé sert surtout à retenir le bâton lors des tirs et des mises en échec. Certains joueurs soutiennent que le ruban gommé limite l'effet de rotation du manche dans la main, au moment du tir.

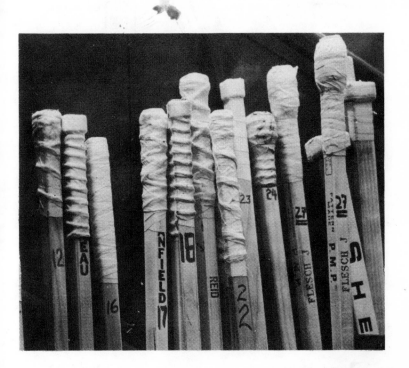

Les joueurs qui placent le bout du manche dans leur paume préfèrent habituellement une petite bande de ruban gommé. Ceux qui tiennent leur bâton sous la bande déjà gommée peuvent se permettre d'en apposer davantage.

Certains joueurs couvrent de ruban les derniers 14 cm (6 po) du manche, alors que d'autres préfèrent s'en tenir à une seule bande à l'extrémité du manche.

Le ruban gommé blanc doit être employé de préférence au noir, car il protège plus longtemps l'intérieur des gants. Par souci d'économie, on peut recouvrir un ruban noir d'une épaisseur de ruban blanc.

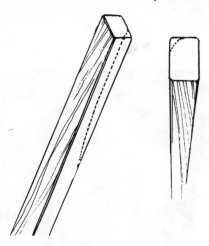

Quelques joueurs arrondissent l'un des coins du manche pour obtenir une meilleure prise sur le bâton. Chacun, à sa discrétion, pourra ou non suivre cet exemple.

La lame

Selon le règlement, la lame ne doit pas excéder 28 cm (12 po) de longueur. Quant à la hauteur, elle doit se situer entre 5 et 8 cm (2 et 3 po):

Après une période d'engouement et d'exagération, les associations, tant amateurs que professionnelles, ont statué sur une courbe maximale de 1,4 cm (0,5 po) sur la longueur totale de la lame.

À notre avis, le joueur de hockey adulte devrait opter pour une lame aux dimensions maximales, qui favorisera la réception des passes et le rabattement des rondelles qui quittent la glace.

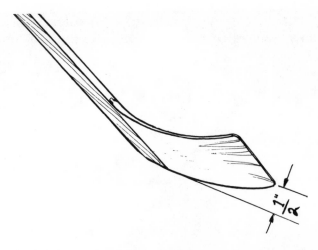

Bien qu'aucune recherche n'ait été entreprise sur ce point, nous croyons qu'une telle courbe favorise la précision et la rapidité de certains tirs (surtout frappés) et facilite l'exécution de la passe et du tir levés. Dans certaines situations, elle donne un meilleur contrôle de la rondelle. Par exemple, elle permet de ramener plus facilement la rondelle vers ses patins qu'une lame droite.

Cependant, afin d'éviter les désavantages d'une lame courbée au moment de la réception des passes et de l'exécution des tirs du revers, nous recommandons une courbe située à l'extrémité de la lame. Comme les lames courbées se sont maintenant fermement implantées, nous ne voyons aucun inconvénient à ce que les jeunes joueurs l'utilisent à leurs débuts. Toutefois, nous ne croyons pas que la lame courbée soit indispensable à l'apprentissage des techniques fondamentales du hockey. Il faut noter que les professionnels reviennent de plus en plus à la lame droite.

Il est préférable d'arrondir seulement l'une des deux extrémités inférieures de la lame pour capter plus facilement une rondelle, soit à ses pieds, soit assez loin de soi, selon la difficulté qu'elle présente. Si le joueur a du mal à recevoir une passe près de ses patins, il doit arrondir l'extrémité inférieure avant de la lame (voir p. 23, à gauche). Si les passes glissent sous sa palette lorsqu'elles sont loin devant lui, il devra alors arrondir le talon (p. 23, à droite). L'arrondissement

de l'un des bouts inférieurs de la lame ne doit pas excéder la moitié de la largeur de la rondelle pour ne pas nuire au dribble. De plus, selon le règlement, la pointe avant de la lame doit avoir au moins 5 cm (2 po) de hauteur. Malheureusement, il est impossible d'arrondir une palette enveloppée d'une matière plastique.

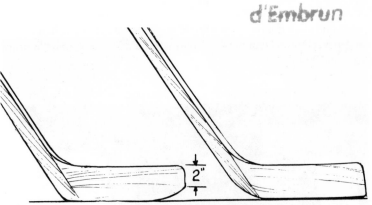

2"

Les dribbles et le transport de la rondelle, les passes et les tirs peuvent être également favorisés par une friction minimale de la palette sur la glace. On obtient un tel résultat en arrondissant légèrement le dessous de la palette sur toute sa longueur, laissant ainsi passer la neige sous la palette qui entre alors à peine en contact avec la glace, en un seul point d'appui. Cependant, une telle pratique est devenue quasi impossible avec les bâtons de qualité qui sont aujourd'hui tous recouverts d'une matière plastique solide. Il faut, par conséquent, choisir des bâtons dont la palette a déjà été arrondie par le manufacturier.

L'usure de la lame peut vous donner de précieux indices sur la hauteur et la pente idéales de votre bâton. Si vous remarquez une usure exagérée au talon, votre pente est trop basse ou votre bâton trop long. Si l'usure, par contre, survient à l'extrémité antérieure de votre lame, c'est que votre pente est trop prononcée ou votre bâton trop court.

Par contre, la lame doit être suffisamment mince pour assurer au joueur une perception tactile parfaite tout en lui permettant d'élever son point d'équilibre sur le manche. Ceci favorise grandement le dribble, la réception et les passes.

Il y a plusieurs façons d'appliquer du ruban gommé sur la lame. Cependant, nous suggérons d'enrouler le ruban à partir du talon, en allant ensuite vers le bout de la lame; ceci permettra à la rondelle de mieux coller à la lame lors du dribble. Nous recommandons également du ruban gommé noir afin de ne pas favoriser le gardien adverse qui préfère évidemment le contraste qu'offre une rondelle noire sur fond blanc.

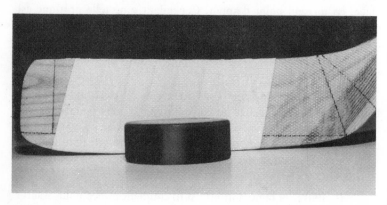

Le ruban gommé permet d'éviter que l'arête inférieure de la lame s'effrite et laisse filtrer l'humidité qui causerait le décollement des différentes parties de la lame. Il protège également la lame contre certains bris. Cependant, il faut éviter d'alourdir la lame par un excès de ruban gommé qui déplacerait malencontreusement le centre de gravité du bâton vers le bas.

La pente ou inclinaison du manche

Les fabricants portent de moins en moins d'attention à la pente du bâton. Certains d'entre eux n'utilisent même plus les chiffres qui indiquaient autrefois l'inclinaison du manche par rapport à la lame. Ils font maintenant des bâtons dont la pente varie entre 5 et 7, selon l'ancienne façon de les marquer. La grande majorité des joueurs et des clubs adoptent une pente numéro 6.

On sait que la majorité des joueurs russes se servent de bâtons à manche court et à pentes numéro 6 ou numéro 7. Selon eux, ceci favorise le travail le long des clôtures tout en permettant une plus grande vitesse d'exécution dans un sport qui devient de plus en plus rapide et se prête à une mise en échec avant, de plus en plus serrée.

L'uniformité des bâtons

La grande capacité d'adaptation du système neuro-musculaire permet au joueur de s'habituer rapidement à un bâton. Quand cela est fait, le joueur doit surtout se préoccuper de l'uniformité de ses bâtons.

Les athlètes professionnels sont très sensibles à tout changement dans leur équipement, si minime soit-il. Par conséquent, il est important qu'un joueur ne se retrouve pas, au milieu d'une partie, avec un bâton auquel il n'est pas habitué. Le joueur d'un certain niveau doit choisir plusieurs bâtons en s'assurant que la longueur, le poids, l'angle, la courbe, etc. sont à peu de chose près identiques. De plus, il doit en faire l'essai au cours d'une séance d'entraînement. Il serait avantageux que les amateurs puissent se payer, comme les joueurs professionnels, un bâton fait sur mesure par les fabricants. On dit que certains joueurs vont jusqu'à rejeter dix bâtons pour chaque bâton retenu.

Bien que le joueur amateur n'ait pas, à l'instar du joueur professionnel, la possibilité d'aller chez le fabricant et de choisir une centaine de bâtons répondant à ses exigences, nous estimons qu'à un certain niveau de compétition, le joueur devrait se munir d'au moins deux bâtons aussi semblables que possible. Le bâton de hockey est un outil tellement important qu'un joueur ne devrait jamais s'en remettre au hasard pour ce qui est du choix de cette partie de l'équipement.

La rigidité

Depuis la venue du tir frappé, les joueurs de hockey exigent des bâtons de plus en plus rigides. Alliée à une lame courbée, cette rigidité permet vitesse et précision, car la lame dévie moins sous le choc de la rondelle et le coefficient de restitution du bâton s'en trouve amélioré.

Un bâton rigide permet de capter plus facilement les passes rapides sans rebond. Au coeur de l'action, il cède moins à la pression d'un patin ou de la lame d'un adversaire.

Par contre, le bâton doit être suffisamment flexible pour absorber le choc au contact de la rondelle, sinon il se briserait au premier tir frappé. Plus le joueur sera faible ou léger, plus il devra choisir des bâtons flexibles pour profiter du coefficient de restitution de la palette et du manche qui améliore la rapidité du tir.

La qualité

Perdre une mise au jeu ou rater un but parce qu'on a brisé son bâton n'est jamais agréable. Le joueur ou l'équipe doit acheter des bâtons de la plus haute qualité et qui ont été éprouvés. Le prix n'est pas le seul indice de la qualité d'un bâton. L'essai de plusieurs marques permet de découvrir rapidement les meilleurs fabricants de bâtons capables de garantir la qualité de leur produit et de remplacer tout article qui ne répond pas aux normes exigées.

L'entretien

Il faut entreposer les bâtons dans des conditions ambiantes qui préservent et maintiennent leurs qualités initiales. Un endroit ou trop chaud ou trop sec rendrait les bâtons cassants, ce qui pourrait occasionner de nombreux bris qui pourraient s'avérer non seulement néfastes durant un match, mais également très coûteux pour un club.

En résumé, il est recommandé

que le bâton soit:
plus court que long,
plus léger que lourd

que le manche soit:
plus rigide que flexible,
plus droit qu'incliné

que la lame soit:
plus droite que courbée,
plus large qu'étroite,
plus longue que courte,
plus mince qu'épaisse.

L'avenir du bâton

Nous pensons que bientôt les joueurs de hockey utiliseront peut-être (comme au baseball) différents bâtons selon les situations de jeu. Par exemple, pour une mise au jeu importante, le joueur de centre choisira un bâton particulier. De même, un joueur de pointe, au cours des jeux de puissance, utilisera un bâton spécialement favorable dans une telle situation de jeu. Un arrière pourrait également se servir d'un bâton différent selon que son club déploierait une stratégie offensive ou défensive. Si le passé est garant de l'avenir, nous pouvons nous attendre à d'autres améliorations intéressantes qui feront du bâton un instrument de plus en plus perfectionné entre les mains de joueurs de hockey toujours plus soucieux du choix et de l'entretien d'un de leurs plus importants outils de travail.

Les gants

Les gants sont absolument nécessaires pour protéger le joueur. Cependant, ils ne doivent pas devenir un obstacle à la relation étroite qui doit exister entre les mains du joueur et son bâton. Les gants seront légers et très souples et permettront aux mouvements des poignets une ampleur et une rapidité d'exécution maximales.

Afin de mieux tenir le bâton, certains joueurs percent de petits trous dans la partie du gant en contact avec le manche. Le règlement défend l'usage de trous qui laisseraient passer la main, mais non les petits trous qui accentuent la perception tactile du joueur tout en favorisant une meilleure évaporation de la chaleur.

De plus, certains joueurs amincissent le cuir de la paume et des doigts de leurs gants, afin de mieux se sentir en contact avec le bâton.

Pour assouplir davantage le cuir qui couvre l'intérieur de la main, on l'enduit quelquefois d'huile ou d'un corps gras quelconque. Certains préfèrent laisser la sueur des mains assouplir le cuir, mais le cuir pourra alors se fendiller rapidement par suite des nombreux assèchements.

Trop de joueurs qui portent une attention spéciale au choix d'un bâton léger se soucient peu du poids de leurs gants. Tout en offrant le maximum de sécurité, les gants doivent être les plus légers et les plus flexibles possible.

Comment tenir son bâton

La façon dont on tient le bâton influence grandement l'exécution de certains gestes techniques, tels le dribble, les passes et les tirs. Malgré l'importance de cette technique, un grand nombre de jeunes joueurs ignorent les principes fondamentaux de la tenue du bâton, avec ou sans rondelle. En appliquant les quelques conseils qui suivent, le joueur pourra très rapidement améliorer ses performances.

Il existe une étroite relation entre le cerveau et les mains. Le joueur de hockey doit également ressentir une étroite relation entre son cerveau et son bâton, extension artificielle de ses mains. Le cerveau pense et les mains exécutent. Mais pour que le cerveau puisse penser librement et rapidement et que le corps puisse exécuter efficacement, il faut absolument que le joueur arrive à maîtriser les techniques fondamentales du hockey. Il est impossible de jouer intelligemment au hockey si toute l'attention est concentrée sur une difficulté de démarrage, un déséquilibre au moment de faire une passe ou une extrême fatigue au moment d'une mise en échec. Il est important de maîtriser les gestes techniques jusqu'à l'automatisme, afin de permettre au cerveau de jouer son véritable rôle de centre de commande. C'est pourquoi il importe tant d'habituer le joueur à dissocier le travail de ses jambes de celui de son cerveau et de ses bras. Le joueur peut alors concentrer son attention et aspirer à jouer ainsi plus intelligemment. La tenue du bâton détermine donc grandement les possibilités du joueur.

Position des mains

La distance entre les deux mains joue un rôle primordial lors du dribble, de la passe ou du tir. Il faut surtout se rappeler que la distance entre les mains varie constamment selon les gestes techniques exécutés. La main inférieure se déplace sur le manche comme la main d'un guitariste sur les cordes de son instrument. Cependant, il existe une prise fondamentale qui sert de point de départ à tous les autres mouvements.

Exemple d'une prise du bâton distancée.

Exemple d'une prise du bâton très rapprochée.

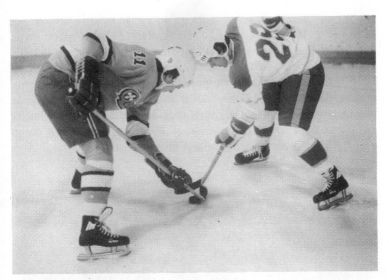

Exemple d'une prise du bâton très distancée.

Exemple de la prise de base.

Cette prise de base est celle qu'on utilise pour le dribble, les passes et les tirs du poignet. Il s'agit de placer la main inférieure de 18 à 35 cm (8 à 15 po) de la main supérieure, compte tenu de la taille et de la force du joueur (certains suggèrent la longueur de l'avant-bras). Plus le joueur pourra rapprocher ses mains sans diminuer la vigueur de son tir du poignet, plus il pourra maîtriser une variété de passes tout en augmentant l'amplitude de son dribble. De plus, le rapprochement des mains encourage le joueur à tenir son bâton près de la glace et à garder la tête levée.

L'amplitude du dribble avec mains distancées.

L'extrémité du manche doit reposer dans la main dont la paume est dirigée vers le corps du joueur. Dirigée vers l'extérieur, l'autre main se trouve plus bas sur le manche. Les doigts tiennent fermement le bâton.

Plus grande amplitude du dribble avec mains rapprochées.

La tenue du bâton immobile.

La tenue du bâton en mouvement, sans rondelle

On tient le bâton différemment selon que l'on transporte ou non la rondelle. Comme le transport de la rondelle limite les gestes, le joueur se sent toujours plus à l'aise sans rondelle. Il préfère également tenir le bâton d'une main, ce qui lui permet de tirer un meilleur profit de la liberté de mouvement de ses bras. Cependant, nous estimons qu'un joueur fait une grave erreur en prenant l'habitude de tenir son bâton d'une seule main en toutes circonstances, car la plupart des situations de jeu offensif exigent que l'on tienne le bâton à deux mains.

La tenue à deux mains

Le dribble, les passes, les tirs, les déviations, les mises en échec et la plupart des réceptions exigent que l'on tienne le bâton à deux mains. La distance entre les mains et la force appliquée dépendront de la situation particulière dans laquelle le joueur sera placé.

Cependant, la nécessité de tenir le bâton à deux mains ne doit pas paralyser le joueur et l'empêcher, à l'occasion, de tenir son bâton d'une seule main. Beaucoup de situations de jeu au hockey commandent l'usage d'une seule main: il s'agit des mises en échec avec bâton, de certaines interceptions et de certains replis défensifs. Seule l'expérience dictera la façon idéale de tenir le bâton dans les différentes situations rencontrées au cours d'un match.

La lame au ras de la glace

L'erreur la plus flagrante que commettent la plupart des hockeyeurs, même professionnels, est de tenir leur bâton trop éloigné de la glace lorsqu'ils sont en position de compter ou qu'ils sont prêts à recevoir une passe. Cette malencontreuse habitude découle d'une mauvaise tenue du bâton. Plus les mains sont distancées sur le bâton, plus les joueurs ont tendance à le tenir haut. Combien de passes et de tirs sont ratés au cours d'une saison parce que les joueurs ne tiennent pas la lame de leur bâton sur la glace, en face du filet adverse. Que d'accidents également pourraient être évités si l'on tenait son bâton adéquatement. Il faut comprendre que sur la glace, le bâton constitue un moyen de communication entre le receveur éventuel et le passeur. Son usage adéquat permet au receveur de signaler s'il est disponible pour recevoir la rondelle. Beaucoup de joueurs tiennent la lame de leur bâton sur la glace et reçoivent effectivement la rondelle, mais ils la perdent aussitôt car ils n'étaient pas réellement disponibles et libres de leurs gestes. Il faut que les joueurs d'une même équipe distinguent clairement entre une lame *au ras* de la glace, qui permet de réagir rapidement à toutes les situations, et une lame *sur* la glace, qui appelle obligatoirement une passe.

La tenue du bâton à deux mains, en mouvement sans rondelle.

Rotation interne de la palette.

La rotation interne de la palette

Beaucoup de joueurs, surtout parmi les jeunes, tiennent mal leur bâton. Certains, suivant le conseil de leur entraîneur, dirigent le bout de la lame vers la glace afin d'éviter de blesser un coéquipier au visage. Cette façon de procéder ne résout pas le problème; il faut plutôt tenir le bâton au ras de la glace. Lorsque le joueur patine sans rondelle, la lame du bâton devrait être légèrement inclinée vers la glace, comme si le joueur s'apprêtait à capter une passe ou à exécuter un tir. Cette tenue du bâton favorise une meilleure réception des passes et le déclenchement rapide du tir.

Le mouvement perpendiculaire des bras

Lorsqu'un joueur patine à toute allure, sans rondelle, ses bras doivent se balancer librement devant le corps. La rotation des épaules est à éviter, elle pourrait nuire considérablement au patinage. Certains joueurs ont l'habitude de ramener le bâton devant leur corps, même lorsqu'ils patinent sans rondelle, ce qui entraîne une rotation inutile des épaules. Les épaules doivent demeurer perpendiculaires à la trajectoire du joueur et seuls les bras doivent se déplacer devant le corps dans le mouvement d'un pendule. Le bâton doit être tenu sur le côté et non directement devant le joueur. Les bras suivent le déplacement du poids du corps; en d'autres mots, lorsque le poids du joueur repose sur sa jambe gauche, ses bras se trouvent du côté gauche et vice versa.

Les muscles relâchés

La détente est une caractéristique des grands athlètes. Le bâton étant relativement léger (32 à 48 g ou 16 à 24 oz) et la rondelle ne pesant pas plus de 150 g (6 oz), il n'y a aucune raison pour qu'un joueur adulte se déplace sur la glace, les muscles des bras et des épaules continuellement tendus. Une telle tension nuit aux gestes rapides et précis, sans parler de la perte inutile d'énergie qui s'en suit. Tout bon joueur est conscient de la tension qui existe dans chacun de ses muscles. Il apprend à n'utiliser que les muscles qui sont absolument nécessaires à l'exécution d'un geste précis, tout en relâchant les autres. Il faut noter qu'une trop grande tension musculaire constitue également un obstacle au travail du cerveau.

Le joueur qui désire être conscient de son relâchement musculaire peut s'adonner à l'exercice suivant: patiner à toute vitesse en élevant les épaules puis, les laisser retomber mollement le plus bas possible. Il faut répéter ce geste fréquemment. Le joueur se rendra vite compte qu'il n'est pas facile de relâcher certaines parties de son corps pendant que d'autres sont tendues au maximum.

La tenue à une main

Dans certaines circonstances, il est avantageux de tenir son bâton d'une seule main, surtout lorsque l'on n'est pas en position de recevoir la rondelle et que l'on doit patiner à vive allure.

Le bâton est alors tenu d'une seule main, le talon de la lame entrant seul en contact avec la glace afin de réduire le plus possible la friction. Les bras se balancent le long du corps comme dans la course à pied; les muscles des épaules et des bras sont relâchés. Même lorsqu'on veut accélérer, il faut pouvoir saisir l'ensemble du jeu grâce à une bonne vision périphérique.

La tenue du bâton à une main, en mouvement sans rondelle.

Le transport de la rondelle

L'art de se déplacer à vive allure avec la rondelle est l'un des plus précieux atouts du joueur de hockey. Ce procédé variera selon qu'il se trouve ou non un adversaire devant soi et que l'on patine avec ou sans intention d'exécuter une passe ou un tir.

Il y a deux techniques différentes pour pousser la rondelle quand une ouverture se crée et qu'il n'y a plus d'adversaire immédiat à déjouer.

À une main

Si le joueur qui a la rondelle désire accélérer rapidement sans effectuer de passe (par exemple lors d'une échappée), il poussera la rondelle devant lui en tenant son bâton d'une seule main.

Transport de la rondelle à une main sur le coup droit.

Sur le coup droit

Le bâton est devant le joueur, la lame posée sur la glace et tournée vers l'intérieur. C'est une excellente façon de pousser la rondelle, car si elle échappe au porteur elle demeure néanmoins devant lui et peut être récupérée à l'aide du patin. Afin d'éviter de perdre constamment la rondelle, il faut absolument maintenir la palette du bâton dans un angle de 90° par rapport à la direction voulue. On y arrive en tenant le manche du bâton loin sur le côté et en avant du corps.

Sur le revers

Transport de la rondelle à une main sur le revers.

Le bâton est tenu sur le côté et la lame posée sur la glace, pointée vers l'extérieur. S'il perd la rondelle, le joueur pourra difficilement la récupérer. Cette façon de progresser avec la rondelle est surtout utilisée lorsqu'un joueur accélère dans un virage ou lorsqu'il

Erreurs à éviter dans le transport de la rondelle à une main sur le revers:
a) le joueur regarde la rondelle;
b) le bout du manche n'étant pas devant le corps, la palette n'est pas à 90° et le joueur risque de perdre la rondelle.

contourne le but. Pour agir efficacement, il faut tenir le manche du bâton directement devant soi, afin de maintenir la palette à un angle de 90° par rapport à la trajectoire la rondelle.

À deux mains

Si le porteur est importuné par un adversaire qui le talonne ou s'il se prépare à faire une passe ou un tir, il est préférable qu'il tienne le bâton à deux mains, légèrement sur le côté, et qu'il pousse la rondelle avec la lame posée sur la glace et inclinée vers lui. C'est la façon la plus sûre de contrôler la rondelle bien que de nombreux joueurs semblent gênés dans leur course lorsqu'ils exécutent cette manoeuvre. Le rapprochement des mains sur le bâton facilite grandement l'exécution de ce geste. Il est préférable de tenir la rondelle légèrement vers l'avant afin de la garder dans son champ de vision. La palette doit être maintenue à un angle de 90° par rapport à la trajectoire de la rondelle.

Transport de la rondelle à deux mains sur le coup droit.

Bien qu'il soit rare qu'un joueur transporte la rondelle en tenant son bâton à deux mains, sur le revers, la maîtrise de ce mouvement demeurera toujours un atout. Les joueurs ne devraient jamais oublier que le perfectionnement d'un geste au cours des séances d'entraînement crée des automatismes qui pourraient s'avérer fort utiles lors d'un match.

Transport de la rondelle à deux mains sur le revers.

Que vous choisissiez l'une ou l'autre de ces techniques, n'oubliez pas que la vitesse importe avant tout. Une vue juste de l'ensemble du jeu est également importante. Le haut du corps doit être très relâché afin que le regard puisse embrasser la plus grande partie de la surface de jeu possible. Comme la volonté joue un grand rôle dans les gestes exécutés avec puissance, les joueurs doivent s'exercer souvent à transporter la rondelle en s'efforçant d'atteindre la plus grande vitesse possible. Au cours de ces exercices, les joueurs éviteront les rotations exagérées des épaules et les balancements inutiles de la tête.

Erreurs à éviter dans le transport de la rondelle à deux mains sur le coup droit:
a) le joueur regarde la rondelle;
b) la palette n'est pas à un angle de 90° par rapport à la trajectoire du joueur.

Le dribble

Définition

Le dribble est le contrôle de la rondelle à l'aide d'un objet servant de prolongement aux membres (exemple: le bâton ou les patins).

Importance

Bien que l'habileté à manier la rondelle ait perdu de son importance depuis l'invention de la passe avant, la maîtrise de cette technique devient un atout pour le joueur qui sait bien s'en servir. Il est impossible de passer, de tirer ou de déjouer un adversaire si l'on n'est pas d'abord maître de la rondelle. Sur la patinoire, on progresse par passes et par dribbles. Le dribble permet à un joueur seul de faire progresser la rondelle. Le dribble n'est pas un exercice en soi, mais le moyen de conserver la rondelle dans le but d'enchaîner le plus rapidement possible, et de la façon la plus efficace, à l'aide d'une passe ou d'un tir. Savoir se déplacer sur la patinoire, en toute direction, sans être gêné par la rondelle, savoir dribbler à toute allure, pouvoir arrêter son dribble, le reprendre, le mener parmi ses adversaires, en varier le rythme et l'enrichir de feintes, de brusques changements de direction, voilà une gamme infinie de gestes utiles et indispensables, qu'il faut considérer comme une partie essentielle de l'apprentissage technique du jeune joueur. Par lenteur d'exécution (aspects physique et technique), par manque de confiance (aspect psychologique), par égoïsme ou excès d'individualisme (aspects social et tactique), de bons dribbleurs s'avèrent souvent de piètres joueurs.

Même si cette habileté semble avoir perdu beaucoup de sa vogue de nos jours, elle n'en demeure pas moins un élément essentiel du hockey. Sans vouloir élaborer longuement sur le sujet, nous aimerions souligner qu'il est important pour le joueur de posséder certaines notions sur cette technique intimement liée aux feintes, aux passes et aux tirs, qui sont, dans la majorité des cas, précédés d'un dribble.

Où et quand l'effectuer

Le dribble est surtout employé quand le joueur veut contrôler la rondelle pour effectuer une passe ou un tir, s'il désire déjouer un ou plusieurs adversaires afin de permettre à ses coéquipiers de se libérer pour recevoir une passe éventuelle. Tous les joueurs doivent passer maîtres dans les enchaînements dribble et passe, dribble et tir, dribble et contrôle.

Comment le pratiquer

Le dribble s'effectue en inclinant légèrement la lame au-dessus de la rondelle et en la poussant, par exemple, du côté droit. Ensuite, la lame du bâton passe rapidement au-dessus de la rondelle pour venir l'arrêter, le joueur y parvient en inclinant la lame en sens inverse et en dégageant bien le coude droit. Puis la rondelle est poussée vers la gauche en répétant les étapes décrites ci-dessus. La direction, la rapidité et l'amplitude du dribble varient selon les exigences du jeu.

Les bras et les épaules relâchés, les mains, généralement peu distancées sur le bâton permettent une meilleure touche, une plus grande maîtrise et des gestes plus amples.

Lors du dribble, la rondelle est maintenue surtout au centre de la lame et les mains se déplacent en bloc, sur une même ligne, de sorte que lorsque le bâton et la rondelle se trouvent à la gauche du joueur, sa main droite est également sur sa gauche. De plus, il faut s'habituer à dégager les coudes du corps, du côté où la rondelle est dribblée, pour obtenir une amplitude maximale.

On peut augmenter l'amplitude de son dribble en lâchant la prise du bas sur le bâton ou en rapprochant davantage les mains.

Le joueur porteur de la rondelle devrait garder la tête "haute", afin d'avoir une vue d'ensemble du jeu. La meilleure solution consiste probablement à garder la tête penchée mais en gardant les yeux "levés" afin de saisir l'ensemble du jeu tout en donnant à l'adversaire l'impression qu'on ne voit rien.

Tous ces gestes, restreints ou amples, doivent être exécutés rapidement ou lentement, selon les circonstances du jeu.

Les différents dribbles

Le dribble doit s'effectuer aussi bien du coup droit que du revers. L'amplitude du dribble est directement liée à la taille du joueur, à la distance entre ses mains posées sur le bâton, au dégagement des coudes du côté du dribble, de même qu'à la longueur et à la pente du bâton. Plus le joueur sera grand, plus ses mains seront rapprochées; plus il dégagera les coudes, plus son dribble aura de l'amplitude et l'aidera ainsi à déjouer et à contourner plus facilement ses adversaires.

Le dribble horizontal

Ce dribble se fait vers l'avant et parallèlement à l'axe des épaules. Il peut aussi bien s'exécuter du coup droit que du revers. Ce genre de dribble amorce généralement une feinte et sert à déjouer un adversaire que l'on attaque de front.

Dribble horizontal.

Dribble oblique à droite.

Dribble oblique à gauche.

Dribble perpendiculaire: phase de préparation.

Dribble perpendiculaire sur le coup droit.

Le dribble oblique

Le joueur dribble la rondelle obliquement à la trajectoire qu'il suit. Ce dribble s'emploie souvent dans les coins, devant les buts et en contournant un adversaire. Il précède généralement une passe ou un tir.

Le dribble perpendiculaire

Ce dribble s'effectue sur le côté dans un mouvement perpendiculaire à l'axe des épaules. Il présente le désavantage d'indiquer à l'adversaire la trajectoire éventuelle de la rondelle en plus d'être plus difficilement maîtrisable sur le revers. Les joueurs s'en servent surtout lorsqu'ils sont stationnaires ou sont sur le point d'effectuer une

Dribble avant-arrière.

passe ou un tir. Il est souvent utilisé par un porteur, tel Howe, qui a de la facilité à faire progresser la rondelle près de ses patins.

Le dribble avant-arrière

L'un des gestes techniques les plus difficiles à maîtriser, le dribble avant-arrière, n'en demeure pas moins l'un des plus efficaces pour déjouer un adversaire ou pour déclencher un tir rapide au but. L'exécution correcte de ce geste est grandement facilitée quand on utilise un bâton à lame courbée. Le rapprochement des mains vers l'extrémité du manche rend également son exécution plus facile.

Cette manoeuvre s'accomplit par une flexion rapide des avant-bras et des bras en direction du corps, après une extension des segments et une flexion des poignets. L'extension des bras devant le corps, suivie d'une flexion des poignets, permet de placer la lame du bâton derrière la rondelle. Une flexion vigoureuse des bras et des avant-bras ramène ensuite la rondelle aux pieds du joueur qui la reprend aussitôt pour continuer sa course, tirer au but ou faire une passe.

Certains joueurs, qui ont développé à un très haut niveau cette habileté, vont même jusqu'à offrir la rondelle à l'adversaire dans l'espoir que celui-ci se compromettra pour le saisir. Dès que l'adversaire fonce sur la rondelle pour s'en emparer, vif comme l'éclair, le joueur la ramène près de lui pour déjouer ensuite plus aisément son opposant.

N.B. Surtout ne pas oublier que l'habileté à dribbler exige énormément de patience et de pratique. Le joueur doit arriver à exécuter tous ces gestes en patinant à vive allure sans pour autant perdre de vue l'ensemble du jeu.

Les passes

Définition

La passe est l'action de transmettre la rondelle, à l'aide de son bâton et de ses patins, à un coéquipier — ou à soi-même si l'on se sert d'un intermédiaire quelconque, comme la clôture — en vue de faire progresser le jeu ou de placer la rondelle à l'endroit le plus avantageux pour l'équipe lors d'une situation particulière.

Rôle et importance

Toutes les techniques fondamentales sont essentielles au succès d'une équipe; cependant, la passe nous apparaît comme l'une des plus importantes, bien qu'elle constitue un des aspects les plus négligés au jeu.

Comme celle du tir, la technique de la passe n'exige qu'une fraction de seconde, mais elle permet aux joueurs d'une équipe de garder la rondelle pendant plusieurs secondes et de la faire progresser plus rapidement. On peut s'en servir soit pour se sortir d'une impasse, soit pour permettre à un coéquipier mieux placé de marquer un but. Pendant longtemps, ce furent là nos seules raisons d'effectuer des passes. Cependant, les rencontres Canada-U.R.S.S. nous ont démontré qu'il est également possible de se servir de la passe pour structurer le jeu tout en permettant à tous les joueurs de se voir et de se comprendre. Ainsi, la passe permet à l'équipe en attaque de structurer sa tactique de jeu, de coordonner l'offensive vers un but unique, tout en se servant de combinaisons tactiques qui sont les mêmes pour tous les joueurs de l'équipe.

Un jeu de passes efficace demande une organisation collective sur la glace où chacun des joueurs sait ce qu'il doit faire suivant la défensive que présentent les adversaires. De plus, les joueurs qui ne portent pas la rondelle doivent toujours se déplacer pour se libérer de l'adversaire et occuper toute la surface de la glace de manière à faciliter le travail du porteur.

Il faut donc considérer la passe non seulement comme une simple technique, mais aussi comme une tactique. Par conséquent, plutôt qu'un seul joueur ne dirige le jeu, il en faudrait quatre qui organisent l'attaque en se déplaçant et en laissant par la suite le choix au porteur de faire une passe au joueur qui se trouve dans la meilleure position. Ceci complique le travail de l'équipe adverse qui doit ainsi surveiller cinq joueurs au lieu d'un seul. Nous vous conseillons l'excellent volume de Jacques Caron et de Christian Pelchat sur *l'apprentissage des sports collectifs* pour approfondir davantage le rôle du jeu de passes dans le succès d'une équipe.

Statistiques, série Canada-U.R.S.S. (1972)

Le meilleur moyen de vérifier des hypothèses demeure encore les statistiques. Elles sont très rares sur les passes. Toutefois, la recherche effectuée pendant la série Canada-U.R.S.S. 1972 par deux étudiants de l'Université du Québec à Montréal, Jacques Goulet et Serge Laurin, nous permet de vérifier certains faits. Nous devons aussi considérer que tous les joueurs qui participaient à cette série comptaient parmi les meilleurs au monde. Cette étude porte sur six matches de cette "Série du siècle".

Dès le départ, nous savions qu'il était possible de compléter plus de 60% des passes pendant un match. L'équipe soviétique a complété 68,4% de ses passes et l'équipe canadienne 63,5%. Si la tactique et la technique ont atteint un niveau très élevé, il faut souligner qu'il en va de même pour la défensive et la mise en échec.

Les auteurs ont également noté que la passe balayée est la plus employée (environ 45% pour les deux équipes) et qu'on la réussit plus fréquemment que les autres (soit 67,5% pour l'équipe canadienne et 71,8% pour l'équipe soviétique).

Cependant, un fait est surprenant: la passe revers représente 20,9% des passes faites par les Canadiens et 22,2% de celles faites par les Soviétiques.

L'équipe soviétique a effectué 1 656 passes par rapport à 1 237 pour l'équipe canadienne. Si nous considérons que le but de la passe est de remettre la rondelle à un joueur libre, cela signifie que les Soviétiques ont profité ainsi de 419 occasions de plus que les Canadiens. Cela leur a permis d'amorcer plus d'attaques, de contrôler la rondelle plus longtemps, d'élaborer une stratégie plus diversifiée à laquelle prirent part tous les joueurs qui avaient ainsi plus d'occasions de compter.

L'équipe soviétique a détenu la rondelle en moyenne 148 secondes de plus par match que l'équipe canadienne. Les Soviétiques ont aussi attaqué 432 fois (59,8% des attaques) par rapport à 291 fois (40,8%) pour les Canadiens. Ainsi, les Soviétiques ont attaqué en tout 141 fois de plus que les Canadiens, soit une moyenne de 23,5 attaques de plus par rencontre. Enfin, au cours de la série, l'équipe soviétique a effectué 60 attaques de plus à trois attaquants et 65 de plus à deux attaquants que l'équipe canadienne. L'attaque des Soviétiques était dirigée vers la gauche, le centre et la droite. Les Canadiens, quant à eux, attaquaient surtout au centre et à gauche.

Ces statistiques nous permettent de constater que la passe ne sert pas seulement à faire progresser la rondelle plus rapidement, à se défaire de la rondelle si l'on se trouve en mauvaise posture ou à la glisser à un partenaire en position d'effectuer un tir au but, mais aussi à contrôler la rondelle, à faire progresser le jeu et à créer un avantage numérique qui mènera à un but. La passe favorise le déroulement de l'attaque et facilite le rapport entre les joueurs et le porteur.

TABLEAU I

U.R.S.S.

Nombre de passes tentées: 1 656 en 6 matches

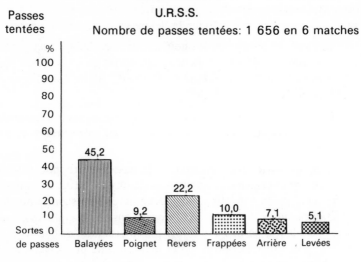

Passes tentées %

Sortes de passes: Balayées 45,2 · Poignet 9,2 · Revers 22,2 · Frappées 10,0 · Arrière 7,1 · Levées 5,1

TABLEAU II

CANADA

Nombre de passes tentées: 1 237 en 6 matches

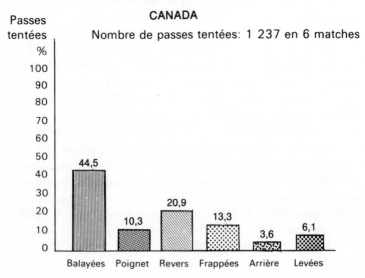

Passes tentées %

Balayées 44,5 · Poignet 10,3 · Revers 20,9 · Frappées 13,3 · Arrière 3,6 · Levées 6,1

Il faut considérer la passe comme un langage par lequel tous les joueurs communiquent entre eux. Cela signifie que, face à une certaine défensive, le porteur dispose de plusieurs solutions de jeu possibles déterminées par la position de l'adversaire et de ses coéquipiers, ce qui lui permet de choisir la meilleure passe à effectuer. Aucune formation défensive ne peut arrêter ce genre d'attaque, car tous les joueurs perçoivent la même situation et réagissent suivant le même langage. Quand la technique de la passe est devenue un automatisme, le joueur n'a qu'à choisir l'endroit idéal pour l'effectuer ainsi que le receveur qu'il croit le mieux placé.

On remarque également un nombre assez élevé de passes frappées, soit 13,3% pour les Canadiens et 10% pour les Soviétiques. Mais ce qui surprend surtout, c'est le pourcentage élevé de passes frappées complétées, soit 75,2% pour les Soviétiques et 52,4% pour les Canadiens. Toutefois, il faut ajouter que l'étude ne tient pas compte de la passe frappée-poignet qui a été compilée comme une passe frappée, ce qui explique son pourcentage élevé, surtout chez les Soviétiques.

TABLEAU III

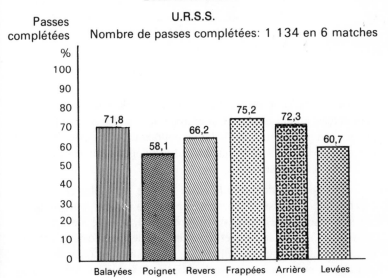

U.R.S.S.

Passes complétées

Nombre de passes complétées: 1 134 en 6 matches

TABLEAU IV

CANADA

Passes
complétées   Nombre de passes complétées: **786** en 6 matches.

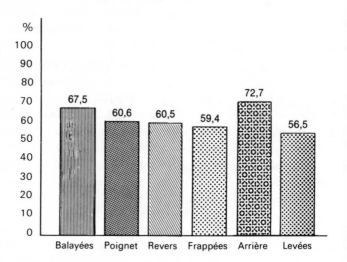

De même, on doit noter le pourcentage élevé de passes arrière complétées, autant chez les Canadiens que chez les Soviétiques. Par ailleurs, on peut remarquer le faible pourcentage de passes levées, ce qui montre véritablement la difficulté qu'éprouvent les joueurs à maîtriser cette passe.

On s'aperçoit donc que la passe balayée est la plus employée et aussi la mieux réussie. Puis vient la passe du revers (pourcentage de réussite assez élevé), la passe frappée (pourcentage élevé chez les Soviétiques), la passe poignet (pourcentage de réussite décevant dans le cas des deux équipes, soit 60%), la passe levée (très difficile à compléter) et la passe arrière (réussie à 70% par les Soviétiques).

TABLEAU V

POURCENTAGE DE PASSES RÉUSSIES ET NON RÉUSSIES (1972)				
PASSES	CANADA		U.R.S.S.	
	Nombre	%	Nombre	%
Tentées	1 237	100%	1 656	100%
Réussies	786	63,5%	1 134	68,4%
Non-réussies	451	36,5%	522	31,6%

Statistiques, série Canada-U.R.S.S. (1974)

Après le traumatisme qu'avait subi le Canada tout entier lors de l'historique série Canada-U.R.S.S. à l'automne 1972, on aurait pu penser que l'état d'urgence aurait été décrété afin de revaloriser l'image de notre hockey. Pas du tout. Par chance, ou par malheur, nous avions gagné de justesse, mais nous avions gagné tout de même... et nous nous sommes arrêtés dans l'élaboration du bilan, erreur classique du vainqueur qui se repose sur ses lauriers, même défraîchis. Malgré un départ prometteur du Canada, les joueurs canadiens furent dépassés par les événements lors des quatre dernières parties disputées en U.R.S.S. Cette fois-ci, le Canada perdait d'une façon décisive: 12 à 5 au tableau final alors que nos porte-couleurs réussirent à arracher une seule victoire aux Soviétiques.

Gérard Boulonne a compilé d'intéressantes statistiques sur les passes effectuées au cours de cette série.

Pendant les quatre parties jouées au Canada, les Canadiens effectuèrent en moyenne le même nombre de passes que les Soviétiques pour chaque but compté, à savoir 2,9 passes. Un fait à remarquer: les deux équipes comptèrent chacune 17 buts. En U.R.S.S., la moyenne canadienne tomba à 2,6 passes par but compté alors que celle des Soviétiques grimpa à 3,6. Lors de ces quatre dernières parties, les Soviétiques enfilèrent 15 buts alors que l'équipe canadienne n'enregistra que 10 buts. Ceci fait clairement ressortir l'importance des passes dans le succès des Soviétiques.

TABLEAU VI	
NOMBRE DE PASSES POUR CHAQUE BUT COMPTÉ (1974)	
ÉQUIPE SOVIÉTIQUE	**ÉQUIPE CANADIENNE**
AU CANADA 17 buts Moyenne de 2,9 passes par but	**AU CANADA** 17 buts Moyenne de 2,9 passes par but
EN U.R.S.S. 15 buts Moyenne de 3,6 passes par but	**EN U.R.S.S.** 10 buts Moyenne de 2,6 passes par but

Principes généraux

1 — La passe est le nerf vital du jeu collectif et le jeu d'équipe est plus efficace que le jeu individuel.

2 — L'art de bien passer est directement lié au patinage, au dribble, aux feintes et à la réception.

3 — Une rondelle se déplace plus rapidement lorsqu'elle est passée d'un joueur à un autre que lorsqu'elle est transportée par un seul joueur.

4 — L'union fait la force. Un jeu de passes efficace est le meilleur moyen de fatiguer et de confondre l'adversaire.

5 — La passe est la façon la plus rapide et la plus certaine de déjouer un adversaire.

6 — Si on n'a pas le contrôle de la rondelle, il vaut mieux ne pas risquer une passe.

7 — Le joueur qui passe doit s'efforcer de ne modifier ni son style ni sa vitesse, afin de demeurer dans le jeu et éviter ainsi de donner des indices aux opposants.

8 — La vue périphérique développée permet de passer dans la bonne direction, au moment opportun et à la vitesse requise, sans tourner la tête vers la cible.

9 — Il est absolument indispensable que les passes soient maîtrisées aussi bien du revers que du coup droit.

10 — Un joueur devrait être capable de recevoir une passe à l'aide de son patin et de la diriger sur son bâton.

11 — Comme le porteur de la rondelle est limité quelque peu dans ses possibilités de percevoir tout l'ensemble du jeu, il est important que le joueur libre soit en mesure d'évaluer continuellement la situation qui se déroule devant lui s'il désire réagir efficacement quand il détiendra la rondelle. Il n'aura alors qu'une fraction de seconde pour effectuer son jeu et sa perception du déplacement de ses coéquipiers et des joueurs adverses sera d'une grande utilité.

12 — Une passe est exécutée afin de placer la rondelle dans une meilleure position et non pour s'en débarrasser. Au lieu de risquer une passe à l'aveuglette, un joueur doit continuer à dribbler afin de trouver une meilleure ouverture, immobiliser la rondelle, obligeant ainsi une mise au jeu, ou encore tirer en direction du but.

13 — Le joueur qui passe doit être détendu et maître de lui. Il s'assure ainsi un meilleur contrôle des muscles de ses bras et de ses épaules.

14 — Il existe toujours une passe plus particulièrement adaptée à une situation de jeu. C'est pourquoi les grands maîtres se font un devoir de maîtriser toutes les sortes de passes, afin de toujours pouvoir utiliser celle qui est la plus appropriée à chaque situation.

15 — On ne soulève jamais une passe à moins d'avoir à franchir un obstacle tel une lame de bâton ou un patin.

16 — Les passes devant les buts, dans sa propre zone, sont à déconseiller à moins d'être assuré à 100% de les réussir.

17 — N'hésitez jamais à remettre la rondelle à un joueur libre qui vous précède.

18 — L'exécution de la passe doit devenir un "automatisme" afin que le joueur n'ait pas à se préoccuper de l'aspect technique du geste. Il peut alors se concentrer uniquement sur la situation de jeu et choisir la meilleure passe possible, compte tenu des circonstances.

19 — La distance entre les mains sur le manche est directement dépendante non seulement du genre de passe effectuée, mais également de la taille et de la force du joueur.

20 — Quand il a fait une passe, un joueur n'a pas terminé son travail. Il doit continuer à participer au jeu, soit en cherchant à se poster pour un retour de passe possible, soit en nuisant à l'adversaire dans son jeu défensif, soit en assumant rapidement sa position défensive en cas de passe interceptée.

21 — Au début de l'apprentissage, il faut surtout mettre l'accent sur la vitesse d'exécution plutôt que sur la précision des passes. La pratique de la passe doit se faire au même rythme et à la même vitesse qu'en situation de jeu. La précision s'ensuit naturellement.

22 — Les passes revers et la réception doivent être enseignées en même temps que les passes sur le coup droit.

23 — L'enseignement des passes doit se faire dans des situations qui ressemblent le plus possible à celles qu'on rencontre dans le jeu réel.

24 — Si un joueur soulève malgré lui toutes ses passes, il doit déclencher plus tôt son mouvement de poignet afin que la rondelle quitte la lame de son bâton plus près de son corps.

25 — Un joueur qui ne maîtrise pas toute la gamme des passes est plus facile à "marquer".

Caractéristiques d'une bonne passe

La qualité première d'une bonne passe, c'est son utilité. Pour être utile, la passe doit posséder les caractéristiques suivantes:

1 — On ne doit pas "télégraphier" sa passe. Il faut repérer du coin de l'oeil son receveur sans offrir d'indice aux adversaires.

Il faut regarder la cible.

2 — Pour être efficaces, plusieurs passes exigent d'abord une feinte.

3 — Selon les circonstances, les passes seront rapides ou lentes. Cependant, il faut toujours viser la plus grande vitesse possible dans une circonstance donnée sans pour autant affecter l'efficacité de la passe.

4 — Chaque passe doit être effectuée de sorte qu'elle puisse être facilement utilisée soit pour un dribble, soit pour un tir, soit pour une nouvelle passe. Par sa puissance, sa trajectoire et sa précision, elle doit être difficile à intercepter mais adaptée à la position et à la vitesse du receveur et des opposants.

5 — Rapide ou lente, la passe doit toujours être précise.

6 — La passe doit être faite de telle sorte que le receveur n'ait pas à ralentir sa course pour s'en emparer.

7 — Toutes les passes doivent être exécutées rapidement et sans avertissement afin d'éviter les interceptions.

8 — Pour atteindre la cible, la lame du bâton doit demeurer le plus longtemps possible à un angle de 90° par rapport à la direction recherchée.

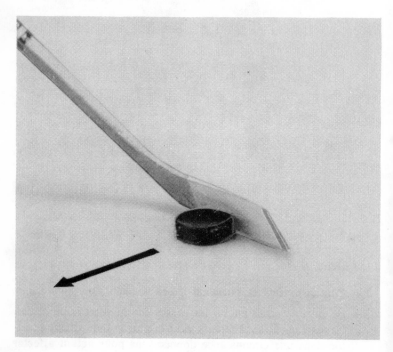

Rondelle au centre de la lame, à un angle de 90°.

9 — S'il y a convoyage,* il doit s'effectuer dans la direction de la cible.

*Voir p. 136: "Chaque type de passe..."

Phase de convoyage. À remarquer, la position du coude droit.

10 — La rondelle doit se trouver au centre de la palette pour plus de précision.

Comment recevoir une passe

La réception joue un rôle de grande importance dans un jeu d'équipe ou de passes efficace. La notion de passe est inséparable de la notion de démarquage. Être démarqué, c'est être seul, libre, mais c'est aussi être accessible. Celui qui détient la rondelle doit pouvoir atteindre son partenaire. Pour cela, il ne doit pas être gêné par la distance et encore moins par la position des adversaires. Il est donc essentiel que les partenaires du passeur, par leurs déplacements, se démarquent dans son "angle de jeu" et puissent ainsi recevoir sa passe en limitant au maximum les risques d'interception.

Le porteur doit toujours avoir une cible. C'est pourquoi le receveur éventuel doit prendre soin de maintenir la lame de son bâton en contact avec la glace quand il est en position de recevoir la rondelle.

Le point essentiel à surveiller dans toute réception est la position de la lame du bâton et la direction de la rondelle. Pour s'assurer d'une bonne réception, le receveur doit toujours placer sa lame à angle droit (90°) par rapport à la trajectoire de la rondelle.

Il faut éviter d'aller à la rencontre de la rondelle avec la lame du bâton. La réception se fait généralement au centre de la lame. On doit bien serrer le manche du bâton au moment de l'impact, surtout si la rondelle a été passée avec vigueur. Cette action empêche la lame de dévier, ce qui occasionnerait la perte de la rondelle, et permet également d'éviter que la rondelle glisse sous la lame.

Il ne doit pas se produire de recul volontaire au moment de la réception. Bien que l'on mentionne encore dans les ouvrages sur le hockey que le receveur doit amortir la passe par un recul de la lame afin d'éviter que la rondelle ne rebondisse, cette théorie est périmée. En effet, les muscles des mains, des bras et des épaules qui participent à ce mouvement réagissent automatiquement à l'impact de la rondelle par un très léger recul involontaire. Certes, à la réception, il ne faut pas contracter ces muscles, ce qui ferait rebondir la rondelle sur la lame du bâton. On doit capter la rondelle, les muscles détendus. Les joueurs doivent apprendre à recevoir une passe en tenant leur bâton aussi bien d'une main que des deux mains.

Il est fortement recommandé de garder les yeux sur la rondelle jusqu'au contact avec la lame et d'incliner légèrement la lame du bâton au-dessus de la rondelle.

Il faut apprendre à recevoir une passe aussi bien sur le coup droit que sur le revers. Finalement, la réception de la passe à l'aide du patin doit faire partie du répertoire de tous les joueurs. Le cas échéant, le joueur doit être en mesure de diriger, vers la lame de son bâton et grâce à ses patins, une passe qui aurait raté sa cible.

Réception d'une passe.

Réception d'une passe à l'aide du patin.

Réception d'une passe, vue de l'arrière.

Technique des différentes passes

Comme une passe déterminée convient à chaque situation particulière du jeu, il est d'une importance capitale que le joueur maîtrise à un très haut niveau la technique de chacune des passes. La maîtrise acquise jusqu'à l'automatisme des techniques de la passe permet au joueur de concentrer son attention uniquement sur la situation de jeu en cours, tout en effectuant (avec une grande rapidité d'exécution) des passes précises au moment le plus inattendu. Les joueurs qui éprouvent des difficultés à passer ou à recevoir la rondelle nuisent nécessairement à l'aspect collectif du jeu.

Il est à noter que les techniques de la passe proprement dite et du tir se ressemblent énormément et que, dans bien des cas, seule la vitesse imposée à la rondelle varie. Voici donc les différentes passes que tout bon joueur doit avoir à son répertoire.

Les photos et la technique décrivent le geste classique. Il va sans dire qu'au cours d'une partie, on rencontre plusieurs variantes du geste pur.

La passe balayée

La passe balayée, comme nous l'avons vue déjà par les statistiques de la série Canada-U.R.S.S. 1972, est la plus employée et aussi la mieux réussie. Ce genre de passe semble très apprécié des joueurs qui recherchent plus la précision que la vitesse d'exécution. Cette passe peut se faire aussi bien sur la glace que dans les airs, si la distance est grande et qu'il y a obstacle entre le porteur et le receveur.

Où et quand l'utiliser

La passe balayée est surtout utilisée quand le joueur veut sortir la rondelle de sa zone et cherche à faire une passe précise pour éviter de remettre la rondelle à l'adversaire. La passe balayée est aussi employée en zone neutre, surtout quand le joueur veut faire une longue passe à un coéquipier.

Une autre situation propice survient quand le joueur quitte sa zone et effectue une passe à un coéquipier qui s'échappe vers la ligne bleue adverse.

En zone offensive, la passe balayée est peu employée, car les passes doivent être courtes et rapides en raison de la mise en échec plus serrée et de la plus grande rapidité d'action. Une exception toutefois: lors d'un avantage numérique, alors que le joueur peut conserver la rondelle plus longtemps sans être mis en échec.

Comment la pratiquer

1 — La distance qui sépare les mains sur le manche du bâton varie selon la force du joueur, la longueur et la vitesse de sa passe.

Plus le joueur est fort, plus la distance qui sépare ses mains sera réduite. Beaucoup de joueurs effectuent cette passe en gardant les mains dans la position qu'elles occupent lors du dribble.

Passe balayée: phase de préparation.

2 — La rondelle est ramenée d'abord sur le côté, au-delà du patin gauche pour un gaucher. Elle demeure en contact avec la lame du bâton qui est légèrement inclinée au-dessus de la rondelle.

3 — Le poids repose alors en grande partie sur le pied gauche et quelque peu sur le bâton.

4 — Il y a rapprochement des mains durant l'exécution de la passe.

5 — Durant le balayage, un maximum de poids est porté sur le bâton par une flexion du tronc et passe de la jambe arrière à la jambe avant. La durée du balayage varie selon le temps dont dispose le joueur pour effectuer la passe.

6 — Au moment de l'envoi, la lame du bâton doit être à 90° par rapport à la trajectoire désirée.

7 — La rondelle doit quitter la palette vis-à-vis du patin avant droit par un fouetté des poignets. Plus la rondelle quittera tôt la lame du bâton, plus elle sera rapide et basse.

Noter la direction du regard.

8 — Pour une passe rapide, gardez la rondelle le plus près possible de votre corps et fléchissez légèrement votre jambe (avant) droite, afin de communiquer le maximum de poids (donc de vitesse et de force) à la rondelle grâce à une flexion avant du tronc.

Passe balayée: phase de convoyage.

9 — Le bâton, tenu près de la glace, suit la rondelle en direction de la cible alors que les coudes se dégagent du corps selon la direction de la passe effectuée.

10 — Cette passe doit s'effectuer si possible, sans ralentir sa course et sans que l'adversaire puisse la prévoir.

1, 2, 3: passe balayée vue de face.

La passe poignet

Ce genre de passe s'effectue rapidement et sans avertissement. On devrait surtout l'employer sur une courte distance, car elle ne peut être exécutée avec puissance. Ce genre de passe, qui exige un minimum d'effort, assure un maximum d'efficacité. Sa première qualité tient à ce qu'on peut l'effectuer dans des positions et à des moments les plus inattendus.

Où et quand l'utiliser

La passe poignet est surtout employée quand le porteur désire faire une passe impromptue à son coéquipier. On l'utilise également lorsqu'on dispose de peu de temps et de peu d'espace.

Elle est utile en zone offensive quand il faut procéder à des passes courtes, sans avertissement et le plus rapidement possible, tout en étant précis. C'est également la passe qu'on utilise pour atteindre un coéquipier qui se trouve directement devant soi.

Comment le pratiquer

1 — La prise du bâton demeure sensiblement la même que pour le dribble.

Passe poignet: phase de préparation.

2 — L'avantage de la passe poignet est qu'on peut l'exécuter en portant son poids sur l'une ou l'autre des jambes ou sur les deux à la fois.

Passe poignet: phase d'exécution.

3 — Lors de son exécution, la rondelle est ramenée de préférence sur le coup droit du joueur, le plus près possible du corps et légèrement vers l'arrière.

4 — Plus le poids du corps reposera sur le bâton, plus la passe sera rapide. Pendant l'exécution de la passe, on peut parfois soulever la jambe opposée au bâton, afin d'ajouter davantage de poids, donc de vitesse.

5 — La lame du bâton est perpendiculaire à la trajectoire recherchée.

6 — La rondelle est remise à un coéquipier au moyen d'un fouetté vigoureux des poignets. La rondelle doit quitter la lame au moment où le joueur exerce le maximum de poids sur le bâton, c'est-à-dire avant que la lame du bâton ne dépasse le bout du (des) patin(s).

7 — La passe s'exécute avec un minimum de balayage et sans être frappée.

Passe poignet vue de côté: phase de convoyage.

8 — La lame du bâton doit suivre la rondelle bien qu'un long convoyage ne soit pas nécessaire.

9 — Le poids repose normalement sur le patin le plus près de la rondelle quand la passe est exécutée.

Passe poignet vue de face: phase de préparation.

Passe poignet vue de face: phase de convoyage.

La passe frappée-poignet

La passe frappée-poignet est très souvent employée bien que certains entraîneurs n'en parlent guère puisqu'elle est souvent imprécise, surtout effectuée par les jeunes. Elle est surtout utilisée pour sa rapidité d'exécution. Sa réception est également plus difficile, car la rondelle a tendance à pivoter sur elle-même. De plus, le receveur d'une telle passe peut difficilement la prévoir.

Où et quand l'utiliser

Elle est employée dans chaque situation où la rapidité d'exécution et la vitesse sont requises. On l'utilise souvent en échappée, lorsque le receveur est loin en avant ou de l'autre côté de la patinoire. On peut également s'en servir lorsqu'on fait une longue passe qui rebondira sur la clôture.

Comment la pratiquer

1 — La position des mains sur le bâton varie selon la force du joueur, la distance à parcourir et la vitesse exigée par la situation de jeu. En général, les mains se trouvent dans la même position que pour un dribble. Plus les mains sont espacées, plus la passe peut être longue et rapide.

2 — La rondelle doit être placée près du corps, afin de recevoir le maximum de poids au moment du contact avec la lame.

3 — Dès que vous avez repéré votre receveur, vos yeux se fixent sur la rondelle jusqu'au moment de l'impact.

4 — L'élan arrière ne doit pas dépasser la hauteur du genou.

5 — Il faut frapper la rondelle de préférence avec le centre de la lame.

6 — On doit resserrer fortement la main au bas du manche du bâton au moment du contact de la lame avec la rondelle.

Passe frappée-poignet vue de côté: phase de préparation.

Passe frappée-poignet vue de côté: phase d'exécution.

Passe frappée-poignet vue de côté: phase de convoyage.

7 — La lame du bâton doit être perpendiculaire à la trajectoire recherchée à l'impact.

8 — Au cours de l'élan arrière, la main supérieure imprime souvent au bâton une rotation qui viendra placer la lame dans une position idéale pour le fouetté vigoureux des poignets. Cette rotation interne assure une plus grande précision et compense la légère déviation de la lame qui se produit au moment du contact avec la rondelle.

9 — La passe est exécutée avec un minimum de balayage et de convoyage, selon la situation du jeu.

Passe frappée-poignet vue de face: phase de préparation.

Passe frappée-poignet vue de face: phase d'exécution.

Passe frappée-poignet vue de face: phase de convoyage.

Passe frappée

La passe frappée est rarement employée au hockey, sinon à l'occasion de certaines échappées quand l'arrière doit rapidement remettre la rondelle à un avant qui fonce à vive allure, de l'autre côté de la patinoire. L'arrière peut alors faire un véritable tir frappé qui servira de passe. Une grande précision importe souvent peu parce que le receveur aura ou le temps de s'adapter, ou la possibilité de laisser la rondelle ricocher sur la clôture pour l'attraper ensuite. Les mains seront plus éloignées sur le bâton que lors de la passe frappée-poignet et le geste sera beaucoup plus vigoureux; quant aux autres points techniques, ils sont identiques à ceux étudiés dans la passe frappée-poignet.

La passe levée

Voilà une passe très efficace pour éviter que la rondelle soit interceptée par un adversaire ou arrêtée par un obstacle. Elle s'effectue généralement sur une courte distance. La difficulté consiste à empêcher que la rondelle rebondisse follement en frappant la glace.

Très peu de joueurs maîtrisent cette passe, mais pour celui qui y arrive, elle est un atout précieux.

Où et quand l'utiliser

Le joueur l'utilise quand un adversaire allonge son bâton ou place sa lame sur la glace, entre le porteur et son coéquipier. Les arrières s'en prévalent souvent lorsqu'ils veulent faire une passe à un avant et qu'ils sont pressés par l'adversaire. On peut aussi faire ricocher la rondelle sur la clôture pour qu'elle parvienne à un coéquipier sans qu'un joueur adverse puisse l'intercepter.

Elle doit être exécutée lorsque l'adversaire s'est beaucoup rapproché du porteur afin d'éviter de lui donner le temps de l'intercepter soit avec la main, soit avec le bâton.

Comment la pratiquer

1 — Les mains restent dans la même position que pour un dribble.

2 — La rondelle doit être placée très près du talon de la lame du bâton.

Passe levée: phase de préparation.

3 — La rondelle doit être du côté du coup droit du joueur et un peu devant lui. Le geste peut se faire également du revers, mais il est plus difficile à réaliser.

4 — Le joueur fléchit légèrement le genou sur le côté de la rondelle et se penche vers l'avant.

5 — La lame du bâton est légèrement inclinée vers l'arrière.

Passe levée vue de côté.

6 — Les bras exécutent un mouvement vers la cible tout en donnant à la rondelle un effet de rotation qui l'empêchera de rebondir ou de rouler sur la glace. Cet effet de rotation est obtenu en ramenant les bras devant le corps pendant l'exécution de la passe.

7 — Pendant que la rondelle roule sur la lame, cette dernière doit demeurer perpendiculaire à la trajectoire recherchée; on y parvient en dégageant les coudes du corps.

8 — La hauteur de la passe est déterminée par l'importance de l'obstacle à franchir. N'oubliez pas que plus elle sera haute, plus elle sera facile à intercepter avec la main.

9 — Le joueur doit parvenir à exécuter cette passe lentement ou rapidement, selon les exigences du jeu.

Passe levée vue de face: phase de préparation.

Passe levée vue de face: phase de convoyage.

La passe arrière

Ce genre de passe consiste à remettre la rondelle à un coéquipier situé derrière le porteur. Elle ne peut être exécutée rapidement avec précision, car le passeur ne connaît pas précisément la trajectoire du receveur.

Cependant, même si cette passe est très peu employée, son taux de réussite est relativement élevé. En effet, lors de la série Canada-U.R.S.S., selon l'étude mentionnée précédemment, le Canada a réussi 72,7% de ses passes arrière et l'U.R.S.S.: 72,3%.

Cette passe est très difficile à arrêter et elle peut souvent obliger le défenseur à se compromettre. L'entente entre les deux coéquipiers est capitale pour que la passe soit réussie.

En raison de la lenteur et de l'imprécision de la passe, l'adversaire pourrait mettre le porteur ou le receveur en échec ou encore s'emparer de la rondelle s'il y a eu mésentente entre eux.

Où et quand l'utiliser

La passe arrière s'exécute surtout en zone offensive, quand le porteur abandonne la rondelle derrière lui. Par la suite, il peut servir d'écran à un coéquipier qui tire au but ou qui déjoue un adversaire. Ce genre de passe peut s'exécuter de différentes façons.

Comment la pratiquer

1 — La position des mains sur le bâton demeure la même que lors du dribble. Cette passe ne nécessite aucune force et, autant que possible, elle doit prendre l'adversaire par surprise.

2 — Lorsque le porteur a repéré son receveur éventuel, il doit, à l'aide d'une feinte ou d'un écran, éloigner l'adversaire de l'endroit où la rondelle sera abandonnée.

Passe arrière en immobilisant la rondelle.

3 — La rondelle est ensuite soit abandonnée là où un coéquipier viendra s'en emparer, soit poussée vers un endroit particulier sur le trajet d'un coéquipier. À cause du risque de mésentente, beaucoup d'entraîneurs recommandent que le porteur de la rondelle immobilise complètement la rondelle avant de continuer sa course, facilitant ainsi sa récupération par le joueur d'appui.

4 — Le succès de cette phase relève beaucoup plus d'une bonne entente entre les joueurs que d'une technique savante.

5 — Il faut éviter de l'utiliser fréquemment, parce que les arrières et les avants, qui mènent l'échec arrière, la repèrent rapidement et l'empêchent.

2

1, 2: passe arrière en déplaçant la rondelle.

La passe de déblaiement

Nous sommes en présence d'une passe qui se révèle parfois très utile. Elle doit être exécutée rapidement. On se sert de la clôture pour dégager la zone et permettre à un coéquipier de saisir la rondelle et de s'échapper seul.

Où et quand l'utiliser

En zone défensive, le porteur lance la rondelle sur la clôture pour qu'il y ait rebond vers le centre. Il permet ainsi à un coéquipier en provenance de la même zone de saisir la rondelle en pleine course et de filer seul vers le gardien.

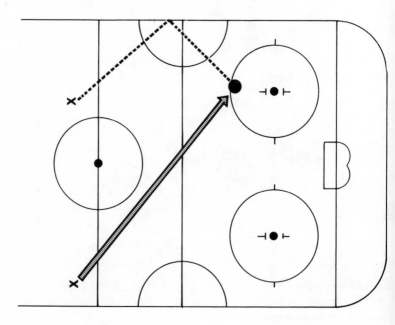

En zone neutre, le porteur projette la rondelle sur la clôture, derrière le but ou dans un coin de la patinoire, pour permettre à un coéquipier de la saisir après le rebond, près du but.

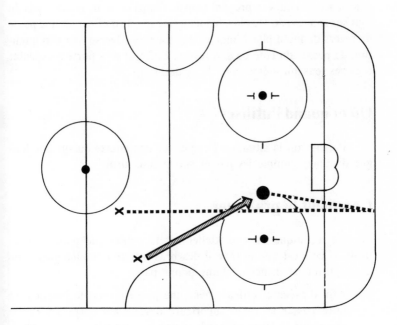

Comment la pratiquer

Si le joueur dispose du temps nécessaire, il effectue une passe levée ou une passe balayée. Sinon, il lui vaudra mieux employer une passe frappée-poignet.

La passe revers

La qualité pitoyable des passes revers constitue sûrement l'une des plus grandes lacunes du hockey moderne et le jeu collectif en souffre automatiquement.

Le joueur incapable de faire une passe efficace des deux côtés gêne le jeu en cours en prenant trop de temps ou en ne passant pas du tout sur son revers. De plus, le joueur incapable d'effectuer une passe de revers donnera plus d'indices aux joueurs adverses sur son intention de passer du côté de son revers. Enfin, il sera porté à exécuter tous ses jeux du même côté de la patinoire.

Où et quand l'utiliser

Partout où la situation l'exige, sur une courte ou sur une longue distance, comme les passes sur le coup droit.

Comment la pratiquer

La technique est essentiellement la même que pour le coup droit, si ce n'est que le travail des bras diffère complètement afin de respecter les principes d'une bonne passe.

1 — Afin d'exécuter efficacement une passe revers, le joueur doit faire passer sa main supérieure devant son corps s'il désire maintenir la lame perpendiculaire à la trajectoire recherchée, surtout si le receveur précède le porteur de la rondelle. Sinon, le joueur sera obligé d'effectuer une rotation du tronc qui ralentira son allure. Si le joueur ne respecte pas l'un ou l'autre de ces principes, sa passe se dirigera sur les patins du receveur ou aboutira derrière lui. Cette manoeuvre est très difficile à réussir si les mains sont trop éloignées l'une de l'autre.

2 — Les difficultés relatives aux passes sur le revers font qu'elles sont normalement plus lentes que sur le coup droit. Le joueur

doit donc prévoir plus de temps et d'espace, sans quoi il peut se faire jouer de mauvais tours.

3 — La position des mains sur le bâton est essentiellement la même que lors du dribble.

4 — La passe poignet et la passe levée sont les plus utilisées sur le revers.

5 — Le joueur doit bien dégager le coude du corps, du côté de la passe.

6 — La rotation des épaules et du tronc joue un plus grand rôle dans la passe sur le revers que dans celle effectuée sur le coup droit.

Passe revers: phase de préparation.

Passe revers: phase d'exécution.

Particularités propres à chaque type de passe revers

Passe revers balayée

Lorsqu'il dispose du temps nécessaire, le joueur balaie la rondelle sur la glace pendant que le poids du corps passe de la jambe arrière à la jambe avant.

Passe revers balayée: phase de préparation.

Passe revers balayée: phase d'exécution.

Passe revers balayée: phase de convoyage.

Passe poignet

Cette passe s'exécute rapidement à l'aide des poignets seulement, sans qu'il y ait un véritable transfert de poids d'une jambe à l'autre.

Passe revers poignet: phase de préparation.

Passe revers poignet: phase de convoyage.

Passe frappée-poignet

Après un court recul du bâton, le joueur frappe vigoureusement la rondelle d'un fouetté des poignets préalablement fléchis. Le joueur doit regarder la rondelle au moment où il la touche avec la lame du bâton.

Passe revers frappée-poignet: phase de préparation.

Passe revers frappée-poignet: phase de convoyage.

Passe levée

Elle est aussi facile à exécuter du revers que du coup droit. Une lame courbée rend son exécution plus difficile qu'une lame droite.

Passe revers levée, vue de face: fin de l'exécution.

Passe revers levée, vue de côté: phase de convoyage.

La passe en patinant à reculons

Il n'est pas rare d'avoir à exécuter une passe en patinant à reculons. Pouvoir exécuter une passe de la sorte rend d'énormes services, surtout aux arrières. Toutes les passes peuvent être faites en patinant à reculons; la situation de jeu dictera celle qu'il vaut mieux exécuter.

Où et quand la faire

Des passes en patinant à reculons peuvent être faites à tout moment et partout sur la glace. Les défenseurs en font un plus grand usage, eux qui se passent fréquemment la rondelle en reculant, qui remettent la rondelle à un coéquipier en contre-attaque ou qui font une passe pour déjouer un adversaire qui les harcèle dans la zone défensive. Les passes en patinage à reculons se font presque exclusivement sur le coup droit. De plus, les passes balayée, levée et frappée-poignet sont habituellement les plus utilisées.

1

2

1,2: passe en patinant à reculons, vue de face.

Comment la pratiquer

La technique est essentiellement la même qu'en patinant de l'avant. Cependant, lorsqu'on patine à reculons, on a tendance à s'éloigner de la rondelle. Si on ne prend pas soin de la ramener très près et même en arrière de ses patins avant de la passer, elle perdra alors toute sa vitesse à cause d'un manque de poids sur le bâton, ce qui favorisera des interceptions dangereuses.

1,2: passe en patinant à reculons, vue de côté.

Le gardien et les passes

Le gardien a longtemps été considéré comme un joueur à part, dont les fonctions se limitaient à bloquer les tirs dirigés contre lui. Mais, des gardiens comme Jacques Plante et Ed Giacomin ont complètement transformé le rôle du gardien de but. En effet, ceux-ci nous ont montré qu'un gardien de but peut exécuter des jeux offensifs, voire même préparer une attaque.

Si auparavant le gardien ne s'aventurait pas loin de son filet, on lui demande aujourd'hui d'aller arrêter les rondelles contre la clôture, de déblayer son territoire et même d'effectuer des passes.

Le gardien de but peut également faire partie de l'attaque en tant que sixième joueur, permettant ainsi à son équipe de jouir d'un joueur supplémentaire. Certains entraîneurs s'en servent très efficacement lorsque leur équipe joue en désavantage numérique. Il est alors facile de se rendre compte des avantages que présente un gardien mobile autant pour le contrôle de la rondelle, que pour les sorties de zone et les contre-attaques. La position du gardien lui assure également une vue d'ensemble dont il faudrait savoir tirer parti.

Choix du bâton

D'après l'article 51 des règlements de l'Association canadienne du hockey sur glace, le bâton utilisé par le gardien de but doit respecter les dimensions suivantes:

lame: pas plus de 41 cm (15,5 po) de longueur et pas plus de 9 cm (3,5 po) et pas moins de 8 cm (3 po) de hauteur;

manche: la partie large du manche ne doit pas excéder 60 cm (24 po) à partir du talon et elle ne doit pas avoir plus de 9 cm (3,5 po) et pas moins de 8 cm (3 po) de large.

Le choix du bâton exige beaucoup d'attention et le respect de certains critères. Le jeune joueur doit choisir un bâton très léger afin de pouvoir le manipuler aisément, surtout lors des harponnages. Il faut choisir des bâtons faits expressément pour les jeunes, sinon on devra les raccourcir déplaçant ainsi le centre de gravité. Contrairement aux joueurs d'avant et d'arrière, les gardiens peuvent utiliser un bâton relativement long, mais il ne doit pas dépasser la hauteur des yeux. Les experts déconseillent la lame courbée parce qu'elle occasionne des rebonds irréguliers. À l'achat, choisissez un bâton, en fonction de votre position de base, en vous soulevant sur la pointe des pieds pour simuler la hauteur de la lame des patins. Votre main doit alors arriver juste au-dessus de la partie large de votre manche. Il est préférable d'appliquer un ruban gommé blanc sur la lame afin de créer un meilleur contraste entre la rondelle et le bâton.

Où et quand effectuer une passe

Le gardien effectue un arrêt, saisit la rondelle et la remet immédiatement à un coéquipier qui peut alors entamer une contre-attaque. Son intervention permet d'empêcher certains adversaires de pénétrer plus avant dans la zone défensive.

Une autre possibilité survient quand le gardien arrête la rondelle derrière le filet et la remet à un coéquipier qui est prêt à filer en contre-attaque.

Le gardien peut aussi empêcher un déblaiement et remettre la rondelle à un coéquipier, éliminant ainsi un adversaire.

Plusieurs situations peuvent se présenter où le gardien aura à recevoir et à effectuer une passe. À l'heure actuelle cependant, la lourdeur de son équipement constitue un handicap sérieux.

Comment effectuer une passe

À cause de son bâton et de son lourd équipement, un gardien peut plus difficilement effectuer une passe qu'un avant. Il peut cependant, à force de pratique, arriver à maîtriser toutes les sortes de passes.

Du côté droit

1 — Il doit glisser rapidement la main qui retient son bâton jusqu'au bout du manche.

2 — La mitaine d'attrape se place sur le bâton, là où il devient plus étroit.

3 — La technique est ensuite semblable à celle qu'emploient les avants, mais le gardien doit appliquer plus de force pour réussir sa passe.

Du revers

Sur une courte distance, ce geste peut être exécuté d'une seule main. Le gardien abaisse au maximum sa main sur le manche et place son bâton sur le revers et pousse ainsi la rondelle. Si la distance est longue et qu'il dispose de suffisamment de temps, le gardien glisse une de ses mains jusqu'au bout du manche et dirige sa passe avec sa mitaine d'attrape qui retient le bâton là où il se rétrécit.

Passe balayée du côté droit: phase de préparation.

Passe balayée du côté droit: phase d'exécution.

Passe balayée du côté droit: phase de convoyage.

Passe balayée du revers: phase de préparation.

Passe balayée du revers: phase d'exécution.

Passe balayée du revers: phase de convoyage.

Comment recevoir une passe

Du côté droit

1 — La lame du bâton doit reposer complètement sur la glace.

2 — Les mains sont placées sur le bâton comme si le joueur effectuait une passe avec sa mitaine, la mitaine d'attrape est placée en bas, près du rétrécissement du bâton, pour permettre un meilleur contrôle à l'arrêt.

Réception de la rondelle sur le côté droit.

Du revers

1 — Il doit conserver la lame du bâton sur la glace.

2 — Il doit glisser la main qui retient le bâton jusqu'au bout du manche et placer l'autre main à l'endroit ou le bâton devient plus étroit.

3 — Le bâton est ensuite placé sur le revers pour recevoir la passe.

Réception de la rondelle sur le revers.

N.B. Cette technique pose certaines difficultés, c'est pourquoi elle est rarement utilisée.

4 — Certains gardiens, pour capter une rondelle qui vient le long de la clôture, sortent rapidement de leur but (gardien gaucher tenant son bâton de la main droite et sortant à droite ou gardien droitier tenant son bâton de la main gauche et sortant à gauche) et placent la lame sur le revers tout en appuyant le manche du bâton contre leur dos. Ils peuvent également se débarrasser de la rondelle de cette façon. Cette méthode est plus souvent employée que la précédente.

Le rôle de la force

Au hockey, le développement des habiletés motrices est principalement conditionné par les qualités physiques. La force est l'une des plus importantes qualités physiques qu'un joueur de hockey se doit de développer s'il désire exceller dans cette discipline.

Dans le maniement du bâton, le dribble, la passe et le tir, la force du joueur aura toujours un rôle capital. Le joueur désireux d'atteindre un haut niveau d'excellence s'efforcera de développer les muscles de ses mains, de ses avant-bras, de ses bras et de ses épaules.

Il y a plusieurs moyens à la portée du joueur de hockey pour développer toute sa force potentielle:

— la musculation;

— l'usage d'un bâton lesté;

— l'usage d'une rondelle lestée.

Efficacité et persévérance sont la seule route à suivre pour celui qui désire développer sa force au maximum.

Les exercices, que nous vous présentons dans les pages qui suivent, proviennent de l'excellent volume de Gaston Marcotte et Gilles Poirier, *La préparation physique du joueur de hockey*, publié aux Éditions du Pélican.

L'apprentissage des passes au hockey

Les passes semblent beaucoup moins spectaculaires que le patinage et les tirs. Par contre les passes sont d'une importance capitale car elles permettent:

— de changer la situation du jeu

— de contrôler le déroulement du jeu

— de rester en possession de la rondelle

— d'aider à marquer un but

La passe implique généralement deux éléments distincts: le joueur et la bande ou le joueur et un partenaire. Entre partenaires, il y a toujours un joueur qui *effectue la passe* et un joueur qui *la reçoit*. Pour une bonne réception, il faut que la lame du bâton soit placée à 90° par rapport à la trajectoire de la passe qui arrive. De plus, on ne recule pas volontairement sa lame de bâton à la réception, l'absorption du choc de la rondelle sur la lame doit se faire grâce aux muscles du poignet et de la main.

Il est primordial que les qualités fondamentales d'équilibre, d'agileté et de force soient acquises avant de passer à l'exécution de gestes plus difficiles, telle la passe.

Les phases d'acquisition des passes sont les suivantes:

a) phase de connaissance

Il faut avoir une certaine idée ordonnée et générale de ce que l'on veut accomplir.

b) phase de fixation

Après avoir saisi l'idée générale il faut pratiquer et répéter à plusieurs reprises ce que l'on veut apprendre. (Au début, on se concentre sur des détails)

c) phase de réalisation automatique

Le geste doit s'accomplir d'une façon automatique, sans penser à ce que l'on fait. À ce moment le geste technique est acquis.

Chaque type de passe possède:

a) phase préparatoire

On se prépare pour exécuter le geste désiré.

On se place dans la bonne position pour exécuter le geste.

b) phase d'exécution

On exécute le geste planifié.

c) phase de convoyage

Elle suit l'exécution et permet de se replacer pour le geste qui suivra.

Où apprendre à faire des passes

N'importe quelle surface peut servir à l'apprentissage de la technique des passes:

— cours asphaltée
— plancher de gymnase

— surface glacée etc.

Pour l'enseignement des passes:

— Aller du plus simple au plus complexe, en tenant compte des capacités d'apprentissage liées à l'âge et à l'habileté des jeunes.

— Maîtriser un seul type de passes à la fois.

— Faites pratiquer sur le côté fort du joueur (généralement son coup droit) avant de poursuivre sur son côté faible (généralement son coup du revers)

— Faites des remarques générales s'adressant à l'ensemble du groupe au début de l'apprentissage.

— Dès l'initiation complétée, procédez à des corrections individuelles à chaque fois que c'est possible.

Progression dans l'enseignement d'un type de passes (pour deux joueurs)

La distance séparant les joueurs doit augmenter progressivement d'une dizaine de pieds à... 30-40-50-60 pieds.

a) Les joueurs sont immobiles.

b) Le passeur est immobile, le receveur est en mouvement ou vice-versa.

c) Les deux joueurs sont en mouvement.

d) Les deux joueurs sont en mouvement avec des obstacles fixes placés sur le parcours.

e) Les deux joueurs sont en mouvement avec des obstacles mobiles placés sur le parcours.

f) Réalisation en *situation de phases* réelles de jeu.

g) Réalisation en jeu.

Voici une série de schémas vous exposant des exercices appropriés à l'apprentissage des passes.

LÉGENDE DES SCHÉMAS

○ Joueur offensif
● Rondelle
△ Joueur défensif
× Cône ou obstacle
⟶ Patinage sans rondelle (direction)
⟿ Patinage avec rondelle (direction)
----▶ Passe effectuée (direction)
↺ Pivot
∿∿∿ Patinage arrière
⟹ Tir au but

A — Joueurs immobiles: une seule rondelle. Les passes se font en tous sens et sans arrêt. L'exercice peut se pratiquer à 3,4,5, ou à plus de joueurs à la fois.

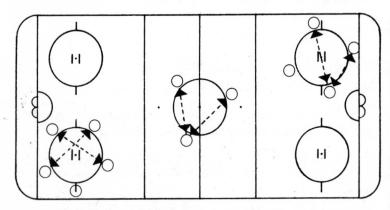

— Pour motiver, on peut ajouter un aspect compétitif: compter le maximum de passes réussies en 15, 20 ou 30 secondes.

Pour le travail à 5 ou plus, on peut introduire une deuxième rondelle. Les deux rondelles ne devant jamais être dirigées vers le même joueur.

N.B.: N'oubliez pas que vous pouvez être dans l'obligation d'effectuer une passe avec votre lame de patin et aussi que vous devrez dans certains cas recevoir la rondelle à l'aide de votre patin. N'hésitez pas à pratiquer ces éléments et à bien contrôler la rondelle.

B — Travail à 6, 7 ou 8 joueurs
   Une seule rondelle
   Passe en tous sens

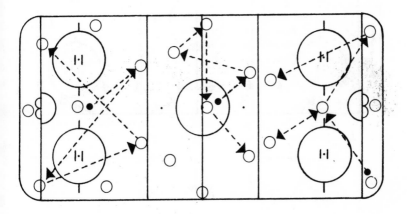

— En compétition, comptez les passes réussies en 5, 10 ou 15 secondes.

— Ajoutez une seconde rondelle.

N.B.: de multiples variantes peuvent être introduites avec ces formations.

a) un joueur ne peut pas remettre la rondelle à un partenaire situé immédiatement à côté de lui.

b) la rondelle doit voyager obligatoirement avec les joueurs placés à côté du porteur.

c) obligation de changer de position avec un autre joueur à toutes les deux ou trois passes réussies.

d) obligation de changer de poste à chaque fois qu'il y a une mauvaise passe... etc.

C1 — Passe par la bande pour soi-même

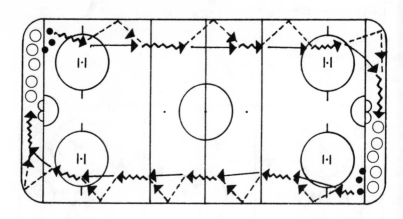

C2 — Passe à un joueur immobile et remise au premier joueur en passe-et-va

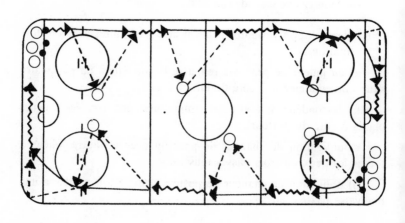

C3 — Combinaison de C1 et C2 avec obstacles (**X**)

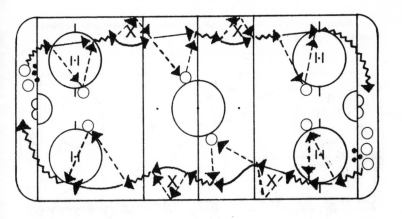

D1 — Exécuter des passes courtes et parallèles (joueurs distancés d'une dizaine de pieds entre eux)

a) sans obstacle

b) avec obstacle

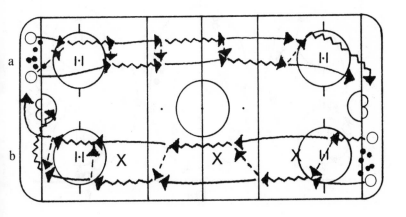

D2 — Passe deux à deux avec changement de poste à chaque passe. (Il est préférable que celui qui reçoit la rondelle se dirige en avant de son partenaire)

D3 — Passe-et-va très courts et vifs *près des bornes;* le receveur dévie la passe pour remettre la rondelle à son partenaire.

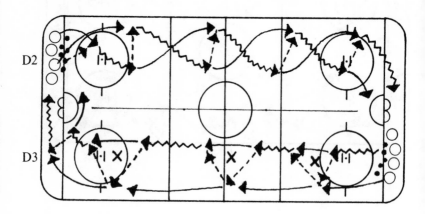

E1 — Réception de passe sur déplacement en banane dans les trois zones (a, b, c) avec variantes.

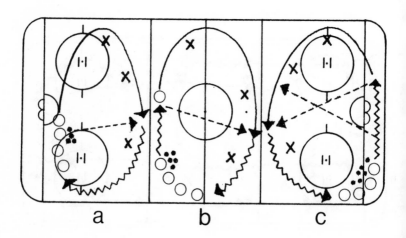

E2 — Long passe-et-suit et passe-et-va en travers de la patinoire

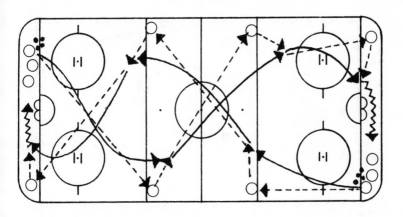

E3 — Passes sur les lignes bleues avec tirs au but

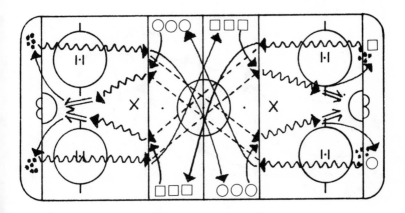

F1 — Réorganisation de l'attaque à 2 joueurs.

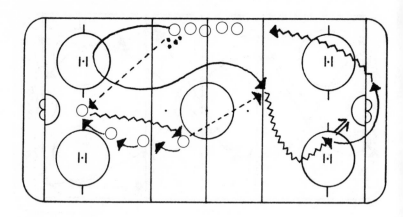

F2 — Exercice à 3 joueurs avec changement de poste en passe-et-suit et passe-et-va.

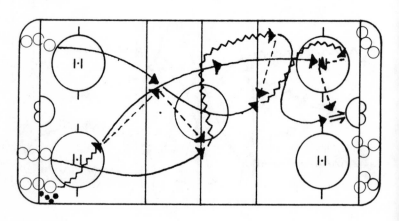

F3 — Exercice à 3 contre 2 sur un retour arrière des avants et prise d'élan autour de l'arrière porteur de la rondelle.

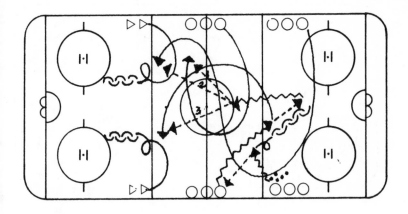

F4 — Pénétration au but avec tir sur passe en croisé des arrières.

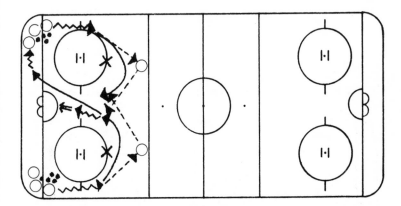

Le succès ne vient qu'avec le travail bien accompli. Vous avez maintenant tout entre vos mains pour réussir et atteindre votre objectif.

Quand la passe est-elle acquise? Lorsque en situation de jeu réel vous ne ratez jamais votre coup! Bonne chance.

Conclusion

Tous les éléments constitutifs d'un sport sont d'une importance capitale et sont interdépendants. La passe ne fait pas exception à la règle. Elle est ce lien vital, entre tous les joueurs d'une équipe, qui leur permet de former un ensemble cohérent pour une action commune. Pour accéder au statut d'équipe véritable, un groupe de joueurs doit passer maître dans l'art de faire et de recevoir des passes.

Enfin, si nous voulons continuer à rivaliser avec les équipes russes et tchèques, nous devons améliorer notre jeu de passes qui laisse encore à désirer. En perfectionnant cet aspect négligé de notre sport national, c'est tout l'ensemble du hockey canadien que nous revaloriserons.

Bibliographie

BOULONNE, G. et MARCOTTE, "Le secret de la machine Russe", *McLean*, Déc. 1974.

GOULET, Jacques et LARIN, Serge, *Observation statistique de la confrontation Russie-Canada*, Université du Québec à Montréal, 1972.

PLANTE, Jacques, *Devant le filet: Techniques et secrets du gardien de but*, Les Éditions de l'Homme, Montréal, 1972.

TARASOV, Anatole, *Les techniques du hockey* (traduit de l'anglais), Les Éditions HRW Ltée, Montréal, 1973.

THIFFAULT, Charles, *Les Lancers*, Publications Sca-Dia, Montréal, 1974.

CARON, J. et PELCHAT, C., *Apprentissage des sports collectifs*, Presses de l'Université du Québec, Montréal, 1975.

BOULONNE, G., CARON, J. et PELCHAT, C., *L'Offensive Rouge, les secrets de la tactique soviétique au hockey*, Éd. du Jour, Montréal, 1976.

Table des matières

Ouvrages parus
chez les Éditeurs du groupe Sogides

Ouvrages parus aux
ÉDITIONS
DE L'HOMME

ALIMENTATION — SANTÉ

Alimentation pour futures mamans, Mmes Sekely et Gougeon
Les allergies, Dr Pierre Delorme
Apprenez à connaître vos médicaments, René Poitevin
L'art de vivre en bonne santé, Dr Wilfrid Leblond
Bien dormir, Dr James C. Paupst
La boîte à lunch, Louise Lambert-Lagacé
La cellulite, Dr Gérard J. Léonard
Comment nourrir son enfant, Louise Lambert-Lagacé
La congélation des aliments, Suzanne Lapointe
Les conseils de mon médecin de famille, Dr Maurice Lauzon
Contrôlez votre poids, Dr Jean-Paul Ostiguy
Desserts diététiques, Claude Poliquin
La diététique dans la vie quotidienne, Louise L.-Lagacé
En attendant notre enfant, Mme Yvette Pratte-Marchessault
Le face-lifting par l'exercice, Senta Maria Rungé

La femme enceinte, Dr Robert A. Bradley
Guérir sans risques, Dr Emile Plisnier
Guide des premiers soins, Dr Joël Hartley
La maman et son nouveau-né, Trude Sekely
La médecine esthétique, Dr Guylaine Lanctôt
Menu de santé, Louise Lambert-Lagacé
Pour bébé, le sein ou le biberon, Yvette Pratte-Marchessault
Pour vous future maman, Trude Sekely
Recettes pour aider à maigrir, Dr Jean-Paul Ostiguy
Régimes pour maigrir, Marie-José Beaudoin
Santé et joie de vivre, Dr Jean-Paul Ostiguy
Le sein, En collaboration
Soignez-vous par le vin, Dr E.A. Maury
Sport — santé et nutrition, Dr Jean-Paul Ostiguy
Tous les secrets de l'alimentation, Marie-Josée Beaudoin

ART CULINAIRE

101 omelettes, Marycette Claude
L'art d'apprêter les restes, Suzanne Lapointe
L'art de la cuisine chinoise, Stella Chan
La bonne table, Juliette Huot
La brasserie la mère Clavet vous présente ses recettes, Léo Godon
Canapés et amuse-gueule
Les cocktails de Jacques Normand, Jacques Normand
Les confitures, Misette Godard
Les conserves, Soeur Berthe
La cuisine aux herbes
La cusine chinoise, Lizette Gervais
La cuisine de maman Lapointe, Suzanne Lapointe
La cuisine de Pol Martin, Pol Martin
La cuisine des 4 saisons, Hélène Durand-LaRoche
La cuisine en plein air, Hélène Doucet Leduc
La cuisine micro-ondes, Jehane Benoit
Cuisiner avec le robot gourmand, Pol Martin
Du potager à la table, Paul Pouliot et Pol Martin
En cuisinant de 5 à 6, Juliette Huot
Fondue et barbecue
Fondues et flambées de maman Lapointe, S. et L. Lapointe
Les fruits, John Goode

La gastronomie au Québec, Abel Benquet
La grande cuisine au Pernod, Suzanne Lapointe
Les grillades
Hors-d'oeuvre, salades et buffets froids, Louis Dubois
Les légumes, John Goode
Liqueurs et philtres d'amour, Hélène Morasse
Ma cuisine maison, Jehane Benoit
Madame reçoit, Hélène Durand-LaRoche
La pâtisserie, Maurice-Marie Bellot
Poissons et crustacés
Poissons et fruits de mer, Soeur Berthe
Le poulet à toutes les sauces, Monique Thyraud de Vosjoli
Les recettes à la bière des grandes cuisines Molson, Marcel L. Beaulieu
Recettes au blender, Juliette Huot
Recettes de gibier, Suzanne Lapointe
Les recettes de Juliette, Juliette Huot
Les recettes de maman, Suzanne Lapointe
Les techniques culinaires, Soeur Berthe Sansregret
Vos vedettes et leurs recettes, Gisèle Dufour et Gérard Poirier
Y'a du soleil dans votre assiette, Francine Georget

DOCUMENTS — BIOGRAPHIES

Action Montréal, Serge Joyal
L'architecture traditionnelle au Québec, Yves Laframboise
L'art traditionnel au Québec, M. Lessard et H. Marquis
Artisanat québécois 1, Cyril Simard
Artisanat Québécois 2, Cyril Simard
Artisanat Québécois 3, Cyril Simard
Les bien-pensants, Pierre Berton
La chanson québécoise, Benoît L'Herbier
Charlebois, qui es-tu? Benoit L'Herbier
Le comité, M. et P. Thyraud de Vosjoli
Deux innocents en Chine rouge, Jacques Hébert et Pierre E. Trudeau
Duplessis, tome 1: L'ascension, Conrad Black

Les mammifères de mon pays, St-Denys, Duchesnay et Dumais
Margaret Trudeau, Felicity Cochrane
Masques et visages du spiritualisme contemporain, Julius Evola
Mon calvaire roumain, Michel Solomon
Les moulins à eau de la vallée du Saint-Laurent, F. Adam-Villeneuve et C. Felteau
Mozart raconté en 50 chefs-d'oeuvre, Paul Roussel
La musique au Québec, Willy Amtmann
Les objets familiers de nos ancêtres, Vermette, Genêt, Décarie-Audet
L'option, J.-P. Charbonneau et G. Paquette
Option Québec, René Lévesque

LITTÉRATURE

22 222 milles à l'heure, Geneviève Gagnon
Aaron, Yves Thériault
Adieu Québec, André Bruneau
Agaguk, Yves Thériault
L'allocutaire, Gilbert Langlois
Les Berger, Marcel Cabay-Marin
Bigaouette, Raymond Lévesque
Le bois pourri, Andrée Maillet
Bousille et les justes (Pièce en 4 actes), Gratien Gélinas
Cap sur l'enfer, Ian Slater
Les carnivores, François Moreau
Carré Saint-Louis, Jean-Jules Richard
Les cent pas dans ma tête, Pierre Dudan
Centre-ville, Jean-Jules Richard
Chez les termites, Madeleine Ouellette-Michalska
Les commettants de Caridad, Yves Thériault
Cul-de-sac, Yves Thériault
D'un mur à l'autre, Paul-André Bibeau
Danka, Marcel Godin
La débarque, Raymond Plante
Les demi-civilisés, Jean-C. Harvey
Le dernier havre, Yves Thériault
Le domaine Cassaubon, Gilbert Langlois
Le dompteur d'ours, Yves Thériault
Le doux mal, Andrée Maillet
Échec au réseau meurtrier, Ronald White
L'emprise, Gaétan Brulotte
L'engrenage, Claudine Numainville
En hommage aux araignées, Esther Rochon
Et puis tout est silence, Claude Jasmin
Exodus U.K., Richard Rohmer
Exxoneration, Richard Rohmer
Faites de beaux rêves, Jacques Poulin
La fille laide, Yves Thériault
Fréquences interdites, Paul-André Bibeau
La fuite immobile, Gilles Archambault
J'parle tout seul quand Jean Narrache, Emile Coderre

Le jeu des saisons, M. Ouellette-Michalska
Joey et son 29e meurtre, Joey
Joey tue, Joey
Joey, tueur à gages, Joey
Lady Sylvana, Louise Morin
La marche des grands cocus, Roger Fournier
Moi ou la planète, Charles Montpetit
Le monde aime mieux..., Clémence Des-Rochers
Monsieur Isaac, G. Racette et N. de Bellefeuille
Mourir en automne, Claude DeCotret
N'tsuk, Yves Thériault
Neuf jours de haine, Jean-Jules Richard
New Medea, Monique Bosco
L'ossature, Robert Morency
L'outaragasipi, Claude Jasmin
La petite fleur du Vietnam, Clément Gaumont
Pièges, Jean-Jules Richard
Porte silence, Paul-André Bibeau
Porte sur l'enfer, Michel Vézina
Requiem pour un père, François Moreau
La scouine, Albert Laberge
Séparation, Richard Rohmer
Si tu savais..., Georges Dor
Les silences de la Croix-du-Sud, Daniel Pilon
Tayaout — fils d'Agaguk, Yves Thériault
Les temps du carcajou, Yves Thériault
Tête blanche, Marie-Claire Blais
Tit-Coq, Gratien Gélinas
Les tours de Babylone, Maurice Gagnon
Le trou, Sylvain Chapdelaine
Ultimatum, Richard Rohmer
Un simple soldat, Marcel Dubé
Valérie, Yves Thériault
Les vendeurs du temple, Yves Thériault
Les visages de l'enfance, Dominique Blondeau
La vogue, Pierre Jeancard

LIVRES PRATIQUES — LOISIRS

8/super 8/16, André Lafrance
L'ABC du marketing, André Dahamni

Initiation au système métrique, Louis Stanké

Fins de partie aux dames, H. Tranquille, G. Lefebvre
Le fléché, F. Bourret, L. Lavigne
La fourrure, Caroline Labelle
Gagster, Claude Landré
Le guide complet de la couture, Lise Chartier
Guide du propriétaire et du locataire, M. Bolduc, M. Lavigne, J. Giroux
Guide du véhicule de loisir, Daniel Héraud
La guitare, Peter Collins
L'hypnotisme, Jean Manolesco

La taxidermie, Jean Labrie
Technique de la photo, Antoine Desilets
Tenir maison, Françoise Gaudet-Smet
Terre cuite, Robert Fortier
Tout sur le macramé, Virginia I. Harvey
Les trouvailles de Clémence, Clémence Desrochers
Vivre, c'est vendre, Jean-Marc Chaput
Voir clair aux dames, H. Tranquille, G. Lefebvre
Voir clair aux échecs, Henri Tranquille
Votre avenir par les cartes, Louis Stanké
Votre discothèque, Paul Roussel

PLANTES — JARDINAGE

Arbres, haies et arbustes, Paul Pouliot
La culture des fleurs, des fruits et des légumes
Dessiner et aménager son terrain
Le jardinage, Paul Pouliot
Je décore avec des fleurs, Mimi Bassili

Les plantes d'intérieur, Paul Pouliot
Les techniques du jardinage, Paul Pouliot
Les terrariums, Ken Kayatta et Steven Schmidt
Votre pelouse, Paul Pouliot

PSYCHOLOGIE — ÉDUCATION

Aidez votre enfant à lire et à écrire, Louise Doyon-Richard
L'amour de l'exigence à la préférence, Lucien Auger
Caractères et tempéraments, Claude-Gérard Sarrazin
Les caractères par l'interprétation des visages, Louis Stanké
Comment animer un groupe, Collaboration
Comment vaincre la gêne et la timidité, René-Salvator Catta
Communication et épanouissement personnel, Lucien Auger
Complexes et psychanalyse, Pierre Valinieff
Contact, Léonard et Nathalie Zunin
Cours de psychologie populaire, Fernand Cantin
Découvrez votre enfant par ses jeux, Didier Calvet
La dépression nerveuse, En collaboration

Futur père, Yvette Pratte-Marchessault
Hatha-yoga pour tous, Suzanne Piuze
Interprétez vos rêves, Louis Stanké
J'aime, Yves Saint-Arnaud
Le langage de votre enfant, Professeur Claude Langevin
Les maladies psychosomatiques, Dr Roger Foisy
La méditation transcendantale, Jack Forem
La personne humaine, Yves Saint-Arnaud
La première impression, Chris L. Kleinke
Préparez votre enfant à l'école, Louise Doyon-Richard
Relaxation sensorielle, Pierre Gravel
S'aider soi-même, Lucien Auger
Savoir organiser: savoir décider, Gérald Lefebvre
Se comprendre soi-même, Collaboration
Se connaître soi-même, Gérard Artaud
La séparation du couple, Dr Robert S. Weiss

Le développement psychomoteur du bébé, Didier Calvet
Développez votre personnalité, vous réussirez, Sylvain Brind'Amour
Les douze premiers mois de mon enfant, Frank Caplan
Dynamique des groupes, J.-M. Aubry, Y. Saint-Arnaud
Être soi-même, Dorothy Corkille Briggs
Le facteur chance, Max Gunther
La femme après 30 ans, Nicole Germain

Vaincre ses peurs, Lucien Auger
La volonté, l'attention, la mémoire, Robert Tocquet
Vos mains, miroir de la personnalité, Pascale Maby
Vouloir c'est pouvoir, Raymond Hull
Yoga, corps et pensée, Bruno Leclercq
Le yoga des sphères, Bruno Leclercq
Le yoga, santé totale, Guy Lescouflair

SEXOLOGIE

L'adolescent veut savoir, Dr Lionel Gendron
L'adolescente veut savoir, Dr Lionel Gendron
L'amour après 50 ans, Dr Lionel Gendron
La contraception, Dr Lionel Gendron
Les déviations sexuelles, Dr Yvan Léger
La femme enceinte et la sexualité, Elisabeth Bing, Libby Colman
La femme et le sexe, Dr Lionel Gendron
Helga, Eric F. Bender
L'homme et l'art érotique, Dr Lionel Gendron
Les maladies transmises par relations sexuelles, Dr Lionel Gendron

La mariée veut savoir, Dr Lionel Gendron
La ménopause, Dr Lionel Gendron
La merveilleuse histoire de la naissance, Dr Lionel Gendron
Qu'est-ce qu'un homme?, Dr Lionel Gendron
Qu'est-ce qu'une femme?, Dr Lionel Gendron
Quel est votre quotient psycho-sexuel?, Dr Lionel Gendron
La sexualité, Dr Lionel Gendron
La sexualité du jeune adolescent, Dr Lionel Gendron
Le sexe au féminin, Carmen Kerr
Yoga sexe, S. Piuze et Dr L. Gendron

SPORTS

L'ABC du hockey, Howie Meeker
Aïkido — au-delà de l'agressivité, M.N.D. Villadorata et P. Grisard
Les armes de chasse, Charles Petit-Martinon
La bicyclette, Jeffrey Blish
Les Canadiens, nos glorieux champions, D. Brodeur et Y. Pedneault
Canoé-kayak, Wolf Ruck
Carte et boussole, Bjorn Kjellstrom
Comment se sortir du trou au golf, L. Brien et J. Barrette
Le conditionnement physique, Chevalier, Laferrière et Bergeron
Devant le filet, Jacques Plante
En forme après 50 ans, Trude Sekely

Nadia, Denis Brodeur et Benoît Aubin
La natation de compétition, Régent LaCoursière
La navigation de plaisance au Québec, R. Desjardins et A. Ledoux
Mes observations sur les insectes, Paul Provencher
Mes observations sur les mammifères, Paul Provencher
Mes observations sur les oiseaux, Paul Provencher
Mes observations sur les poissons, Paul Provencher
La pêche à la mouche, Serge Marleau
La pêche au Québec, Michel Chamberland

Achevé d'imprimer sur les presses de

L'IMPRIMERIE ELECTRA*

*Division de l'A.D.P. Inc.

pour

LES ÉDITIONS DE L'HOMME*

*Division de Sogides Ltée

Imprimé au Canada/Printed in Canada